10ᵉ ANNIVERSAIRE

James Patterson
et Maxine Paetro

10ᵉ
ANNIVERSAIRE

Roman

Traduit de l'anglais (États-Unis)
par Nicolas Thiberville

JC Lattès

Collection « Suspense et Cie »
dirigée par Sibylle Zavriew

Titre de l'édition originale :

10ᵀᴴ Anniversary
Publiée par Little, Brown and Company, New York, NY.

Maquette de couverture : Bleu T
Photo : © Jennifer Cox / Gallerystock.com

ISBN : 978-2-7096-3645-2

Pour Isabelle Patterson et Madeline Paetro.

PROLOGUE

ET SONNENT LES CLOCHES

1

Le jour de mon mariage était arrivé.

Il régnait, dans la suite que nous avions réservée au Ritz de Half Moon Bay, un véritable chaos. Mes meilleures amies et moi-même, en culotte et soutien-gorge, avions dispersé nos vêtements un peu partout sur les meubles. Suspendues à des cintres, des robes aux teintes sorbet attendaient d'être enfilées.

La scène évoquait l'un de ces tableaux de Degas où les ballerines se préparent avant le lever du rideau, ou encore une vision romancée d'un bordel au Far West. Les blagues fusaient de toutes parts, l'ambiance était joyeuse et légère – et soudain, la porte s'est ouverte. Catherine, ma sœur, est entrée ; elle avait beau essayer de faire bonne figure, son sourire crispé et son regard empreint de tristesse suggéraient qu'elle n'allait pas bien.

— Que se passe-t-il, Cat ? demandai-je.

— Il n'est pas venu.

Je plissai les yeux pour refouler mes larmes en tâchant d'ignorer la cruelle déception qui me serrait le cœur.

— Quelle surprise ! lâchai-je d'un ton sarcastique.

Cat parlait de notre père, Marty Boxer, qui avait quitté la maison lorsque nous étions encore enfants et n'avait même pas daigné assister à l'enterrement de notre mère. Je ne l'avais vu que deux fois en dix ans et j'avoue qu'il ne m'avait pas beaucoup manqué, mais lorsqu'il avait dit à Cat qu'il viendrait à mon mariage, je m'étais prise à espérer.

— Il avait *promis* qu'il serait là ! s'écria Cat.

J'ai six ans de plus que ma sœur, mais pour ce qui est d'être blasée de la vie, j'ai carrément cent ans de plus ! J'aurais dû m'en douter. Je l'étreignis longuement.

— Laisse tomber, Cat. Il n'est personne pour nous, et ce n'est certainement pas lui qui va nous gâcher la journée.

Assise sur le lit, Claire, ma meilleure amie, posa ses pieds nus sur le sol. Claire est une Afro-Américaine, les formes généreuses et l'humour plutôt caustique. Si elle n'était pas médecin légiste, elle pourrait facilement se reconvertir dans le one-woman-show.

— Je veux bien mettre une fausse moustache et te conduire à l'autel, fit-elle. Mais j'espère que tu me revaudras ça !

Cindy et moi éclatâmes de rire, et Yuki, haussant la voix pour se faire entendre, déclara :

— Je sais qui pourrait remplacer Marty ! (Elle se glissa dans sa robe en satin rose, passa les bretelles par-dessus ses frêles épaules et remonta la fermeture Éclair.) Je reviens dans deux secondes !

Régler les détails, c'est sa spécialité, à Yuki. Et il vaut mieux ne pas chercher à se mettre sur son chemin une fois qu'elle est lancée – même si elle part dans la mauvaise direction.

— Yuki, attends ! appelai-je derrière elle tandis qu'elle disparaissait dans le couloir.

Je me tournai vers Claire et vis qu'elle tenait à la main un corset... proche d'un instrument de torture.

— Porter une robe qui me fait ressembler à un cup-cake, passe encore, mais comment je fais pour rentrer là-dedans ?

— Moi, j'adore ma robe, fit Cindy en effleurant l'organza de soie couleur pêche. (Elle était sûrement la première demoiselle d'honneur au monde à penser une chose pareille, mais il faut dire qu'elle a un côté fleur bleue très prononcé. Elle tourna vers moi son joli visage.) Tu ferais bien de te préparer, lâcha-t-elle d'un ton rêveur.

Deux mètres de satin couleur crème s'échappèrent de la housse en plastique. Je me tortillai pour entrer dans ma robe Vera Wang sans bretelles, puis me tins avec ma sœur devant le miroir. J'y vis deux grandes blondes aux yeux marron qui ressemblaient trait pour trait à leur père.

— Même Grace Kelly n'a jamais été aussi belle, murmura Cat, les yeux embués de larmes.

— Baisse la tête, beauté, fit Cindy.

Elle attacha son collier de perles autour de mon cou. J'effectuai une petite pirouette et Claire me prit la main pour me faire tournoyer.

— Tu te rends compte, Linds ? Je vais danser à ton mariage !

Elle n'ajouta pas « Enfin ! », mais elle aurait pu, elle qui avait vécu à mes côtés ma relation à distance avec Joe, relation pour le moins chaotique ponctuée par son emménagement à San Francisco et l'incendie de mon appartement ; elle qui m'avait soutenue lorsque j'avais failli mourir ; elle qui s'était demandé ce que j'allais faire de cette magnifique bague de fiançailles en diamant que j'avais laissée dormir dans un tiroir pendant presque un an.

— Merci d'avoir toujours gardé la foi, Claire.

— Je n'emploierais pas ce terme-là, répondit-elle. Je ne me suis jamais attendue à un miracle, encore moins à en faire partie.

— T'es bête ! m'exclamai-je en lui filant une petite tape sur le bras.

La porte s'ouvrit et Yuki entra avec mon bouquet : des pivoines et des roses tenues par un ruban bleu layette.

— Ce mouchoir appartenait à ma grand-mère, fit Cindy en glissant dans mon décolleté un petit carré de dentelle. Quelque chose de vieux et quelque chose de neuf, quelque chose d'emprunté et quelque chose de bleu. C'est bon, tu es fin prête.

— La musique va bientôt démarrer, m'informa Yuki.

Mon Dieu.

Joe et moi allions enfin nous marier.

2

Jacobi me rejoignit dans le hall de l'hôtel, me tendit son coude et explosa de rire. Yuki avait vu juste. Jacobi était le parfait père de substitution. Je passai mon bras sous le sien et il déposa un baiser sur ma joue.

Une première.

— Tu es splendide, Boxer. Je veux dire, encore plus que d'habitude.

Une autre première !

Jacobi et moi sommes restés tant de temps côte à côte dans notre voiture de service que nous sommes presque capables de déchiffrer les pensées l'un de l'autre. Mais ce jour-là, je n'avais pas besoin d'être extralucide pour lire l'amour qu'il y avait dans ses yeux.

— Merci, Jacobi, fis-je en lui souriant. Merci du fond du cœur.

Je lui pressai affectueusement le bras, puis nous franchîmes les grandes portes à la française menant au jardin pour pénétrer dans ma nouvelle existence.

Jacobi marche en boitant et a une respiration sifflante, séquelles d'une fusillade que nous avons essuyée ensemble quelques années plus tôt dans le Tenderloin. J'avais bien cru que nous allions y passer cette fois-là. Mais cet épisode appartenait désormais au passé.

L'air marin m'enveloppa de sa tiédeur vivifiante. Les pelouses semblaient onduler autour du belvédère scintillant de blancheur, pour ensuite redescendre doucement vers l'à-pic surplombant l'océan. Les vagues se fracassaient contre la falaise, et le soleil couchant teintait les nuages d'un rose lumineux qu'il aurait été impossible de saisir sur une photographie.

— Allez, on se détend. Pas de précipitation en remontant l'allée. Contente-toi de suivre le rythme de la musique.

— Si tu le dis, fis-je en riant.

Les chaises s'alignaient de chaque côté face au belvédère, et l'allée, comme sur les lieux d'une scène de crime, avait été délimitée par un ruban jaune.

C'était probablement une idée de Conklin, et j'en eus la confirmation lorsque nos regards se croisèrent et que son visage se fendit d'un large sourire. Les filles de Cat gambadèrent jusqu'à nous en jetant des pétales de rose tandis que retentissaient les premières notes de la marche nuptiale. Mes meilleures amies s'engagèrent dans l'allée et je les suivis.

Il y avait là Charlie Clapper, plusieurs gars de la brigade ainsi qu'une bonne partie de nos amis, anciens et nouveaux. Cinq des frères de Joe étaient présents, accompagnés de leurs familles respectives. Installés au premier rang, les parents de Joe tournèrent vers moi leurs visages rayonnants.

Jacobi m'escorta jusqu'aux marches du belvédère, puis recula de quelques pas, me laissant au bras de mon futur et merveilleux mari. Joe plongea son regard dans le mien et je sus aussitôt que tous les rebondissements qui avaient jalonné notre relation en valaient la peine. Je le connaissais maintenant si bien. Notre amour était solide, notre relation riche et intense.

La révérende Lynn Boyer, amie de longue date de la famille, joignit nos mains en posant celle de Joe par-dessus la mienne, puis murmura, de manière théâtrale et juste assez fort pour que tout le monde entende :

— Profitez bien de cet instant, Joseph. C'est la dernière fois que vous aurez le dessus sur Lindsay.

Un éclat de rire monta dans l'assemblée avant de s'éteindre progressivement. Avec le cri des mouettes en fond sonore, Joe et moi échangeâmes nos vœux de mariage, promettant de nous aimer et de nous chérir dans la joie comme dans la peine, dans la santé comme dans la maladie, jusqu'à ce que la mort nous sépare.

— Acceptez-vous de prendre cet homme pour époux ?

Oh que oui !

Il y eut des petits gloussements nerveux pendant que je tentais de passer l'anneau autour du doigt de Joe. Il m'échappa des mains et Joe et moi nous baissâmes en même temps pour le ramasser.

— Du calme, Blondie, me dit Joe. Le meilleur reste à venir.

Je ris et nous nous relevâmes pour que je lui passe enfin la bague au doigt. La révérende invita ensuite Joe à embrasser la mariée. Il posa ses mains de chaque côté de mon visage et nous échangeâmes un long baiser.

Puis un autre. Et un autre. Et encore un autre.

Les applaudissements et la musique retentirent tout autour de nous.

Tout cela était réel. J'étais à présent madame Joseph Molinari. Joe me prit la main et, souriant comme des gamins, nous parcourûmes l'allée dans l'autre sens sous une pluie de pétales de roses.

PREMIÈRE PARTIE

LE BÉBÉ DISPARU

1

Une adolescente, vêtue d'un simple poncho vert en plastique, titubait le long d'une route obscure. Elle était terrorisée et en proie à de violentes douleurs, des crampes dans le ventre dont l'intensité et la fréquence allaient crescendo. Le sang coulait le long de ses jambes depuis déjà un bon moment, mais c'était à présent une véritable hémorragie.

Qu'avait-elle fait ?

Les gens disaient souvent qu'elle était une fille intelligente, pourtant elle avait commis une terrible erreur, et si elle n'obtenait pas de l'aide très vite, elle risquait tout bonnement de mourir.

Mais où était-elle ?

Elle avait l'impression de tourner en rond sans jamais arriver nulle part. Dans la journée, le quartier situé autour de Lake Merced était une zone fréquentée par de nombreux joggeurs, cyclistes et véhicules de toutes sortes. La nuit, en revanche, il devenait complètement désert. L'obscurité en soi n'avait rien d'avenant, mais, en plus, un épais brouillard recouvrait la surface du lac. Elle n'y voyait pas à plus de quelques mètres.

Elle était réellement effrayée.

Il y avait eu de drôles d'histoires dans le coin. Des disparitions. Des meurtres.

Elle éprouvait de plus en plus de difficultés à avancer, et n'eut bientôt même plus la force de soulever les pieds. Elle se laissa tomber, comme si elle s'abandonnait, comme si elle quittait son corps. Dans sa chute, elle se rattrapa à un tronc d'arbre auquel elle se cramponna jusqu'à sentir qu'elle s'enracinait dans la nuit sans lune.

Oh mon Dieu. Où suis-je à présent ?

Deux voitures étaient déjà passées sans s'arrêter, et elle songea à abandonner son plan, à héler un automobiliste qui la raccompagnerait jusqu'à la maison. Ils seraient partis. Elle pourrait dormir. Le sang finirait peut-être par arrêter de couler si elle s'allongeait – mais elle était complètement perdue. Elle ne savait même pas dans quelle direction aller.

La fille se remit en marche à la recherche d'une lumière, n'importe laquelle.

Le sang s'écoulait de plus en plus ; elle se sentait si faible que ses genoux semblaient sur le point de se dérober sous elle.

Dans sa progression, son pied buta contre quelque chose de dur, une pierre ou une racine, et elle s'effondra sur le sol, les mains tendues pour tenter d'amortir la chute.

Son menton, ses genoux et ses paumes absorbèrent le plus gros du choc, mais elle s'en tira plutôt bien.

Haletante, elle se releva péniblement et repartit d'un pas chancelant.

Elle distinguait les arbres le long de la route, les eucalyptus et les pins dont les silhouettes menaçantes se dressaient au-dessus d'elle. Les herbes hautes lui grattaient les bras et les jambes.

Elle imagina qu'une voiture s'arrêtait, ou qu'elle arrivait en vue d'une maison. Elle imagina la façon dont elle raconterait son histoire. Aurait-elle jamais l'occasion de le faire ? Pitié. Elle ne pouvait pas mourir maintenant. Elle n'avait que quinze ans.

Un aboiement retentit dans le lointain et la fille changea de trajectoire pour se diriger vers le bruit. Un chien était synonyme d'une maison, et donc d'un téléphone, d'une voiture, d'un hôpital.

Elle songea à sa chambre, à la sécurité qu'elle lui procurerait. Elle visualisa mentalement son lit, son bureau, les posters affichés aux murs et son téléphone – ah, si seulement elle avait son téléphone. À cet instant, sa cheville se tordit et elle perdit l'équilibre, s'écorchant une partie du corps en tombant lourdement sur le sol.

C'en était trop. Beaucoup trop.

Cette fois, elle ne se releva pas. La douleur qu'elle ressentait était trop forte. Elle posa sa tête sur ses bras croisés. Peut-être pouvait-elle se reposer un instant. Oui, un petit somme… en attendant le lever du soleil…

Elle mit un long moment à comprendre que la lumière qui perçait peu à peu la brume était celle d'une paire de phares.

Elle leva une main et entendit un crissement de pneus.

— Oh mon Dieu ! lança une voix de femme. Tu es blessée ?

— Aidez-moi, murmura la fille. S'il vous plaît...

— Reste avec moi, fit la voix de la femme. Surtout, ne t'endors pas. J'appelle le 911. Regarde-moi. Garde les yeux ouverts.

— J'ai perdu mon bébé, articula la fille.

Puis toutes ses douleurs s'envolèrent.

2

La pluie martelait le capot et se déversait à torrents sur le pare-brise de mon vieil Explorer tandis que je manœuvrais pour me garer sur le parking qui jouxte l'institut médico-légal. Je me sentais un peu anxieuse de retourner au travail après avoir pris un congé pour mon mariage.

En seulement quelques minutes, j'allais devoir me replonger dans le bain et rattraper mon retard. Et puis un nouvel élément entrait en ligne de compte.

Je travaillais désormais sous les ordres d'un nouveau lieutenant.

Mais je m'y étais préparée – du moins autant que faire se peut.

Je remontai le col de mon vieux blazer bleu et m'élançai sous la pluie jusqu'à l'entrée du palais de justice, l'immense bâtiment en granit qui abrite le ministère de la Justice, la cour d'assises, deux prisons et les locaux du SFPD.

Je présentai mon badge à Kevin, puis empruntai l'escalier dont je gravis les marches au pas de course. Parvenue au troisième étage, je poussai la double porte menant à la salle de la brigade.

L'endroit me fit l'effet d'un zoo.

— Salut ! lançai-je à Brenda, qui se leva de sa chaise et me prit dans ses bras après m'avoir tendu un Kleenex.

— Je vous souhaite beaucoup de bonheur, Lindsay.

Je la remerciai, lui promis de lui envoyer des photos du mariage, puis m'essuyai un peu le visage et les cheveux avant d'inspecter la salle d'un regard circulaire pour voir qui était de service à 7 h 45.

La salle était pleine à craquer.

Les gars de l'équipe de nuit étaient occupés à ranger leurs affaires et à jeter à la poubelle leurs emballages de sandwichs. Une dizaine de flics de l'équipe de jour attendaient de pouvoir récupérer leurs bureaux. La dernière fois que j'étais venue ici, Jacobi occupait encore son « bureau d'angle », comme nous l'appelions entre nous pour plaisanter : une sorte de bocal minuscule avec vue imprenable sur l'autoroute.

Depuis, Jacobi avait été propulsé au rang de chef de la police, et son successeur n'était autre que Jackson Brady, notre nouvelle recrue.

Je connaissais déjà Brady, qui nous venait du Miami Police Department. Il avait intégré notre brigade depuis maintenant un mois, et, dès le début, il avait montré un héroïsme certain. J'avais travaillé avec lui sur une série de meurtres particulièrement odieux, et c'est à la suite de cette enquête pour le moins explosive qu'il avait été retenu pour figurer sur la liste des prétendants au poste de Jacobi.

Le poste m'avait également été proposé, mais j'avais poliment décliné l'offre. J'avais déjà occupé le « bocal » pendant plusieurs années, et l'ampleur de la tâche administrative avait fini par m'écœurer : gérer les budgets, les fiches de paye, les innombrables réunions entre bureaucrates... non merci !

C'est avec joie que je m'étais effacée pour laisser la place à Brady.

J'espérais simplement qu'il me laisserait faire mon travail sans me mettre des bâtons dans les roues.

Je le voyais derrière les murs vitrés de son bureau. Ses cheveux blonds presque blancs étaient coiffés en catogan, et il portait un holster par-dessus sa chemise bleue amidonnée qui adhérait à son torse massif.

Levant les yeux vers moi, il me fit signe de venir le rejoindre. Il raccrocha son téléphone à mon arrivée, se pencha par-dessus mon ancien bureau et me serra la main en me félicitant.

— Je continue à vous appeler Boxer, ou bien Molinari ?

— Boxer.

— Très bien. Alors asseyez-vous, sergent Boxer, dit-il en m'indiquant une chaise d'un geste de la main. Je viens de recevoir un appel de la *Major Case Division*. Ils manquent d'effectifs et ils ont réclamé de l'aide. Je veux que Conklin et vous alliez voir de quoi il s'agit.

— C'est pour un meurtre ?

— Peut-être. Ou peut-être pas. Pour l'instant, tout reste envisageable. À vous de jouer !

C'était quoi, ces conneries ?

Je venais de prendre deux semaines de congé, et j'allais être obligée de me coltiner une enquête merdique qui encombrait un autre service ? Brady cherchait-il à me tester ? À instaurer un management façon chef de meute ?

— Conklin est déjà en possession du dossier. Tenez-moi au courant. Au fait, content de vous revoir, Boxer.

Drôle de façon de me montrer qu'il appréciait mon retour.

Je quittai la minuscule pièce et traversai la salle de la brigade pour aller retrouver mon coéquipier. J'avais la sensation que tous les yeux étaient braqués sur moi.

3

Le docteur Ari Rifkin était une femme à l'allure sérieuse, et, à en croire les appels incessants qu'elle recevait sur son pager, quelqu'un de très occupé. Elle semblait par ailleurs impatiente de nous parler, à moi et à mon coéquipier, Richard Conklin, alias l'inspecteur Beau Gosse. Conklin sortit son carnet pour prendre des notes.

— Elle s'appelle Avis Richardson, quinze ans. Elle souffrait d'une hémorragie lorsqu'elle a débarqué aux urgences la nuit dernière, nous expliqua Rifkin tout en essuyant les verres de ses lunettes à monture d'acier avec un pan de sa blouse. D'après son examen médical, elle venait d'accoucher moins de trente-six heures auparavant. Elle s'est mise gravement en danger en courant, ce qui l'a amenée à chuter plusieurs fois. Elle n'aurait pas dû avoir une activité physique aussi intense juste après avoir donné naissance à un enfant.

— Comment a-t-elle atterri ici ? demanda Conklin.

— C'est un couple qui l'a recueillie. Attendez, j'ai noté leurs noms quelque part… John et Sarah McCann. Elle était allongée sur la route et ils ont cru qu'elle avait été renversée par une voiture. Ils ont dit à la police ne pas la connaître.

— Était-elle consciente à son arrivée ? m'enquis-je.

— Elle était en état de choc. Elle oscillait entre le délire et la réalité, mais elle était quand même plus proche du délire. Nous lui avons administré un sédatif, nous lui avons fait une transfusion et un curetage. Elle reste sous surveillance, mais son état est stable.

— Quand pourrons-nous lui parler ? demanda Conklin.

— Attendez un instant, répondit Rifkin.

Elle entrouvrit les rideaux qui entouraient le lit où sa patiente était allongée. J'eus le temps de voir qu'il s'agissait d'une jeune fille blanche, aux cheveux raides couleur auburn. Une intraveineuse était plantée dans son bras, et un moniteur clignotait à côté d'elle.

Le docteur Rifkin échangea quelques mots avec l'adolescente, puis réapparut de notre côté :

— Elle dit qu'elle a perdu son bébé. Mais au vu de son état, j'ignore si elle entend par là qu'il est mort, ou bien qu'elle l'a « égaré ».

— Avait-elle un sac à main sur elle ? demandai-je. Une pièce d'identité quelconque ?

— Elle ne portait en tout et pour tout qu'un simple poncho en plastique. Un poncho tout ce qu'il y a de plus commun.

— On va en avoir besoin, fis-je. Et il nous faut aussi sa déposition.

— Vous pouvez toujours tenter le coup, répondit Rifkin.

Avis Richardson paraissait incroyablement jeune pour être mère. Elle donnait également l'impression d'avoir été traînée derrière un camion. Je remarquai les bleus et les éraflures qui parsemaient ses bras, ses paumes, sa joue et son menton.

Je tirai une chaise à moi et posai doucement ma main sur son bras :

— Salut, Avis. Je m'appelle Lindsay Boxer. Je suis de la police. Est-ce que tu m'entends ?

— Ou-Oui.

Elle entrouvrit brièvement ses yeux verts. Dans un murmure, je la suppliai de rester éveillée. Je devais à tout prix découvrir ce qui lui était arrivé. Et puis, en nous confiant cette enquête, Brady nous avait chargés, Conklin et moi, de retrouver le bébé.

Avis ouvrit de nouveau les yeux, et je lui posai une dizaine de questions basiques : Où habites-tu ? Quel est ton numéro de téléphone ? Qui est le père de ton bébé ? Comment s'appellent tes parents ? Mais je n'aurais rien tiré de plus d'un mannequin en plastique dans la vitrine d'un grand magasin. Avis Richardson

29

hochait la tête de façon répétitive sans rien répliquer. Après avoir joué à ce petit jeu pendant une trentaine de minutes, je me levai et cédai ma place à Conklin.

Dire que mon coéquipier « sait y faire avec les femmes » reviendrait à mettre l'accent sur son charme typiquement américain, en occultant son talent pour amener les gens à lui accorder leur confiance.

— À ton tour, Rich !

Il s'installa sur la chaise et s'adressa à la jeune femme de sa voix calme et profonde :

— Bonjour, Avis. Je m'appelle Rich Conklin et je travaille avec le sergent Boxer. Nous devons absolument retrouver ton bébé, tu sais. Chaque minute qui passe le met un peu plus en danger. C'est pourquoi j'aimerais vraiment que tu répondes à mes questions. Nous avons vraiment besoin de ton aide.

La fille avait le regard flou. Ses yeux se posèrent sur moi, puis sur Conklin, sur la porte, et enfin sur le tuyau relié à son bras.

— Il y a quelques mois, dit-elle à Conklin, j'ai appelé un numéro… Un service d'aide pour les ados enceintes. L'homme… il parlait avec un accent. Un accent français. Mais… on aurait dit une imitation. Je les ai rencontrés… près de mon lycée…

— Il y avait plusieurs personnes ?

— Deux hommes. Je crois que leur voiture était bleue. Une quatre portes… Quand je me suis réveillée, j'étais dans un lit. J'ai vu le bébé… (Des larmes commencèrent à embuer ses yeux.) C'était un garçon.

Je sentis mon cœur se serrer.

À quel genre de crime avions-nous affaire ? Trafic d'enfants ? C'était scandaleux. Un péché pur et simple. Et pas qu'un seul. Sans même savoir ce qu'il était advenu de l'enfant, je comptabilisais déjà deux chefs d'accusation.

— J'aimerais entendre toute l'histoire depuis le début, fit Conklin. Dis-moi tout ce dont tu te souviens, Avis. OK ?

Je n'en suis pas certaine, mais j'ai eu l'impression qu'Avis se parlait à elle-même lorsqu'elle a murmuré :

— J'ai vu mon bébé… Et puis je me suis retrouvée dans la rue. Toute seule. Dans le noir.

4

Je suis restée auprès d'Avis Richardson durant les huit heures suivantes, avec l'espoir qu'elle finirait par se réveiller pour de bon et par m'expliquer ce qui leur était vraiment arrivé, à elle et à son bébé. Plus le temps s'écoulait, plus son sommeil se faisait profond. Et chaque minute me rapprochait de la certitude que nous ne retrouverions pas l'enfant vivant.

J'ignorais toujours ce qui s'était passé. Cette adolescente avait-elle accouché seule et abandonné l'enfant dans les toilettes d'une station-service ? Son bébé avait-il été enlevé ?

Nous ne pouvions même pas solliciter le FBI tant que nous ne savions pas si un crime avait été commis.

Conklin, de son côté, retourna au palais de justice et s'attela à la tâche. Il consulta la base de données qui répertoriait les personnes disparues et lança une recherche pour Avis Richardson, puis pour toutes les adolescentes dont la description était susceptible de correspondre.

Il interrogea le couple qui avait amené Avis à l'hôpital et détermina la zone approximative où ils l'avaient trouvée : Lake Merced, près de Brotherhood Way.

Accompagné d'une brigade canine, il se rendit sur place pour tenter de localiser les traces de sang qu'Avis avait dû laisser derrière elle. Il espérait ainsi remonter jusqu'au lieu de l'accouchement pour y découvrir des indices – et peut-être la vérité.

Pendant ce temps, le laboratoire analysa le poncho en plastique. Ce dernier comportait forcément des empreintes, mais il avait malheureusement été manipulé par plusieurs personnes à l'hôpital. Ce poncho constituait par ailleurs une autre énigme. Comment Avis s'était-elle retrouvée avec ce seul vêtement sur le corps ?

Plus le temps passait, plus je me sentais abattue. Avis dormait toujours d'un sommeil de plomb, et ni ses parents ni ses amis ne s'étaient encore manifestés. Pourquoi personne ne semblait s'inquiéter de la disparition de cette adolescente ?

Soudain, ses paupières se mirent à cligner.

— Avis ?

Elle laissa échapper un vague murmure, puis ses yeux se refermèrent.

Je m'accordai une pause sur les coups de 16 heures et en profitai pour aller m'acheter une barre chocolatée dans un distributeur de friandises. Je l'accompagnai d'un grand gobelet de café amer.

J'appelai ensuite une dizaine d'hôpitaux pour savoir si un bébé abandonné leur avait été confié récemment, puis contactai le service de protection de l'enfance. Sans résultat.

J'empruntai l'ordinateur portable du docteur Rifkin et consultai le site du VICAP pour voir si je pouvais y dénicher des informations relatives aux enlèvements de femmes enceintes.

La plupart des crimes recensés étaient liés à des violences domestiques. Aucun fait répertorié ne correspondait à cette affaire.

Après cette vaine déambulation sur Internet, je regagnai l'unité de soins intensifs et dormis un instant dans le fauteuil inclinable installé à côté du lit d'Avis. Je me réveillai lorsqu'on vint la chercher pour la transporter dans une chambre individuelle.

J'appelai alors Brady, et lui expliquai que nous étions toujours au point mort. J'étais clairement sur la défensive.

— Rien de neuf non plus au sujet du bébé ? me demanda-t-il.

— Puisque je vous dis que cette fille n'a pas articulé le moindre mot !

J'avais à peine pressé la touche rouge de mon téléphone qu'il se mit à sonner. L'appel provenait de Conklin.

— Je t'écoute ?

— Les chiens ont retrouvé sa trace. (Une lueur d'espoir s'alluma en moi. Je serrai mon téléphone comme un naufragé se cramponne à sa bouée de sauvetage.) Elle a laissé des traces de sang sur une distance d'environ un kilomètre et demi. Son trajet décrit une boucle au sud de Lake Merced.

— Comme si elle avait cherché désespérément de l'aide...

— Les chiens continuent à travailler, Lindsay, mais la zone de recherches a été étendue. Ils sont maintenant sur une piste au niveau du terrain de golf. Il y a un club de tir juste à côté. Ça risque de prendre un bon moment.

— De mon côté, je n'ai rien trouvé sur le VICAP.

— Moi non plus. Pour l'instant, je suis dans la voiture et je m'apprête à appeler tous les Richardson de l'annuaire. Crois-moi, il y en a un paquet à San Francisco !

— Je peux te filer un coup de main. Tu démarres à A. Richardson, moi à Z. Richardson, et on se donne rendez-vous à la lettre M.

Je raccrochai, et c'est à ce moment-là qu'Avis ouvrit ses beaux yeux verts. Elle posa son regard sur moi et me dévisagea fixement.

— Salut ! lançai-je, cramponnée de toutes mes forces au barreau du lit. Comment te sens-tu ?

— Je suis où ? demanda Avis. Qu'est-ce qui m'est arrivé ?

Je me retins *in extremis* de pousser un juron, et lui résumai le peu d'informations dont je disposais.

— On essaie de retrouver ton bébé, Avis.

5

En introduisant ma clé dans la serrure de la porte de notre appartement, je songeai que je n'avais pas pensé à appeler Joe pour le prévenir que je ne rentrerais pas pour le dîner. À vrai dire, je ne lui avais pas donné de nouvelles depuis une bonne douzaine d'heures.

Bravo, Lindsay. Bien joué !

Martha, mon border collie, m'entendit ouvrir la porte, aboya, et se précipita pour me faire la fête.

Je la gratifiai de quelques paroles gentilles en lui caressant les oreilles, puis me rendis au salon où Joe m'attendait. Assis dans un fauteuil, il était en pleine lecture. Huit journaux différents traînaient sur le sol.

Il leva vers moi un regard chargé de reproches :

— Ta boîte est pleine.

— Ma boîte ?

— La boîte vocale de ton téléphone.

— Vraiment ? Désolée, Joe. J'ai été obligée d'éteindre mon portable. En fait, je suis restée toute la journée à l'hôpital, à l'unité de soins intensifs. C'est pour une nouvelle affaire qu'on m'a confiée.

— On était censés aller dîner avec mes amis ce soir.

— Ah oui, c'est vrai ! Je suis désolée, Joe, lâchai-je d'un ton penaud.

Nous devions effectivement aller dîner chez Harris pour y déguster une grillade de bœuf et passer un agréable moment. J'avais rangé cette information dans un coin de ma tête et l'y avais soigneusement laissée.

— Ils sont dans l'avion pour New York.

— Je les appellerai demain pour m'excuser. Sur ce coup-là, je suis vraiment en dessous de tout. Ils sont si gentils.

— Ils nous offrent une lune de miel. Un séjour à Hawaii, dès qu'on aura un peu de temps libre.

— Merde, sans blague ? Ça me fait me sentir encore plus mal. J'enquête sur la disparition d'un nouveau-né.

— Tu as mangé ?

— Si on veut... Une cochonnerie que j'ai achetée dans un distributeur. Ça fait déjà un moment.

Joe se leva de son fauteuil et se dirigea d'un pas nonchalant vers la cuisine. Je le suivis la queue entre les jambes, comme un jeune chiot qui vient de s'oublier sur le tapis du salon. Il prit une cuisse de poulet dans un bol de marinade et mit une poêle à chauffer.

— Laisse, Joe. Je peux le faire.

— Parle-moi un peu de ta nouvelle affaire.

Je me servis un grand verre de merlot, reposai la bouteille sur le comptoir et m'installai sur un tabouret pour regarder Joe cuisiner – l'une de mes activités favorites.

Je lui expliquai qu'une adolescente avait été découverte en pleine nuit, au bord d'une route, souffrant d'une hémorragie liée à son récent accouchement, et que cette hémorragie avait bien failli la tuer. Nous l'avions interrogée, mais elle s'était montrée confuse dans ses réponses, puis elle s'était endormie et j'étais restée à son chevet pendant douze heures en attendant qu'elle se réveille, un temps que j'avais passé à effectuer de vaines recherches.

— Tout ce qu'on sait, c'est qu'elle s'appelle Avis Richardson. Avec Conklin, on a contacté environ deux cents Richardson sur San Francisco et les alentours. Pour l'instant, ça n'a rien donné. Tu ne trouves pas ça bizarre, toi, que personne n'ait signalé sa disparition ?

— Tu penses qu'elle a pu être kidnappée ? Elle n'est peut-être pas d'ici.

— Possible, mais je n'ai rien déniché sur le VICAP.

Je m'attaquai à mon poulet tout en sirotant mon vin. J'espérais un peu que ce repas, allié à la perspicacité de Joe, ancien du FBI, m'aiderait à y voir plus clair.

Le bébé d'Avis était forcément quelque part, mort ou en danger de mort, ou encore en route vers un pays étranger. Le docteur Rifkin nous avait expliqué que la perte de mémoire de la jeune fille était liée aux médicaments qu'elle avait pris, mais elle ignorait quels étaient ces médicaments et à quel moment elle les avait ingérés. Il se pouvait qu'elle ne se rappelle jamais ce qui lui était arrivé, notamment si elle avait été assommée.

J'espérais que son corps avait conservé un souvenir de l'accouchement, et que, sur un plan émotionnel, elle avait conscience du traumatisme qu'elle venait de subir. Peut-être ce souvenir physique finirait-il par réveiller en elle d'autres souvenirs susceptibles de nous éclairer ?

— À ton avis, Joe, pourquoi est-elle incapable de nous dire comment joindre ses parents malgré l'épreuve qu'elle vient de traverser ? Tu crois que c'est volontaire ?

— Elle vit peut-être dans la rue ?

— Oui, c'est une autre hypothèse. C'est vrai qu'elle ne portait aucun vêtement, à l'exception d'un poncho en plastique, lorsqu'elle a été retrouvée.

Joe débarrassa mon assiette vide, puis me servit une coupelle de crème glacée au praliné. Je me levai de mon tabouret et lui passai les bras autour du cou.

— Je ne te mérite pas, Joe. Mais une chose est sûre : je t'aime à la folie.

Il m'embrassa tendrement.

— Tu es allée faire un tour sur Facebook ?

— Facebook ?

— Oui. Qui sait ? Avis a peut-être un compte... Et tu sais quoi ? J'ai une autre idée à te soumettre. Ça te dirait de m'accompagner dans la chambre ?

6

— Je te rejoins dans une minute, fis-je tandis que Joe se dirigeait vers la chambre.

Munie de mon ordinateur portable, je m'allongeai sur le canapé, la tête sur l'accoudoir, Martha à mes pieds.

J'ouvris un compte Facebook et effectuai une recherche en tapant Avis Richardson. Je finis par trouver sa page d'accueil ; son profil était public. Je parcourus les messages sur le mur, pour la plupart d'inoffensives références à des soirées entre lycéens. Tout cela ne me renseignait guère, mais j'appris tout de même qu'Avis fréquentait la Brighton Academy, un pensionnat privé plutôt chicos, situé non loin du Presidio.

Je contactai Conklin aux alentours de minuit pour lui faire part de ma découverte et lui dire que nous allions devoir interroger le directeur de Brighton, mais je tombai sur son répondeur.

— Salut Rich, c'est Lindsay. Rappelle-moi à n'importe quelle heure. Je ne dors pas.

J'allai ensuite me préparer du café et retournai devant mon ordinateur pour consulter le site de Brighton. Ce dernier était conçu pour séduire à la fois les ados et leurs parents, et à en croire les photos et le blabla publicitaire, la Brighton Academy avait tout du jardin d'Éden. On y voyait des adolescents, tous beaux et bien habillés, penchés sur des livres de cours, l'air studieux, ou réunis pour un spectacle sur la scène d'un auditorium. Une photo montrait des jeunes participant à un entraînement de football. Avis apparaissait sur quelques-uns de ces clichés. Elle donnait l'impression d'une jeune fille souriante et pleine de vie, à mille lieues de l'image que j'avais d'elle sur son lit d'hôpital.

Je reconnus d'autres jeunes que j'avais déjà aperçus sur la page Facebook d'Avis.

J'établis une liste de leurs noms.

Puis j'entendis un bébé pleurer.

En ouvrant les yeux, je me rendis compte que j'étais encore sur le canapé, mon ordinateur fermé posé sur mes genoux. Endormie par terre à côté de moi, Martha poussait des petits couinements dans son sommeil.

L'horloge digitale du magnétoscope numérique indiquait qu'il était presque 7 heures du matin. J'eus un choc en me rendant compte que c'était seulement la deuxième nuit que je passais dans mon appartement en tant que femme mariée, et la première fois que je dormais sous le même toit que Joe sans partager son lit.

Je versai quelques croquettes dans la gamelle de Martha, puis allai jeter un coup d'œil dans la chambre où Joe dormait encore. J'entrai sur la pointe des pieds, lui caressai doucement la joue, mais il se tourna sur le côté et se replongea aussitôt dans un profond sommeil. Je me douchai et m'habillai en silence avant de sortir me promener avec Martha le long de Lake Street en songeant à Joe, à nos vœux de mariage, à ce que cela signifiait de s'être engagés dans cette aventure où nous formions une équipe à deux.

J'allais devoir me montrer plus attentionnée.

Je n'étais plus seule à présent.

Quelques minutes plus tard, l'affaire Richardson me revint à l'esprit comme un boomerang.

Avis Richardson et son bébé. Où pouvait-il bien être ?

Gisait-il quelque part dans l'herbe froide et humide ? Avait-il été caché dans les cales d'un bateau à destination d'un pays étranger ?

J'appelai Conklin sur son portable à 7 h 30, et cette fois, il décrocha.

— Avis Richardson fréquente la Brighton Academy, le genre de pensionnat où les parents qui voyagent souvent et qui ont les moyens parquent leurs enfants.

— Ça pourrait expliquer pourquoi personne ne s'est encore inquiété de sa disparition, fit Conklin. De mon côté, je viens de m'entretenir avec le responsable de la brigade canine. Les chiens décrivent des trajectoires circulaires. Si Avis a été transportée d'un point A à un point B en voiture, il sera impossible de remonter la trace.

— Et merde ! Ça veut dire qu'elle a pu accoucher n'importe où avant d'être déposée près du lac. Et du coup, impossible de localiser ce point A.

— Exactement...

— Je te retrouve à l'hôpital d'ici une quinzaine de minutes. Pour le moment, on va devoir compter sur la mémoire d'Avis.

En arrivant dans la chambre d'Avis, nous trouvâmes le lit vide.

— Qu'est-ce qui se passe ? Tu crois qu'elle est morte ? lançai-je à mon coéquipier d'une voix teintée d'une exaspération non dissimulée.

Une infirmière entra derrière nous. C'était une petite femme au physique nerveux, aux bras musclés, les cheveux grisonnants. Je la reconnus tout de suite. Elle était de garde la veille au soir.

— Ce n'est pas ma faute, sergent. Je suis passée voir Avis Richardson ce matin, puis je suis retournée dans le couloir pendant quelques dizaines de secondes, et elle en a profité pour se faire la malle. Apparemment, elle a emporté des vêtements appartenant à Mme Klein, dans la chambre d'à côté. C'est tout ce que je peux vous dire.

7

À 8 h 30 ce matin-là, Yuki Castellano était assise à la table en chêne d'une petite salle de conférences, dans le bureau du procureur, au huitième étage du palais de justice.

Elle était anxieuse.

Pour le moment, cette anxiété restait modérée, mais elle ne ferait que s'accroître jusqu'à l'ouverture du procès.

Ce jour était un grand jour. Et l'enjeu était de taille.

Elle travaillait sur ce dossier depuis maintenant un an, et tout allait se jouer dans moins d'une demi-heure. La cour allait se réunir. Le docteur Candace Martin allait être jugée pour l'assassinat de son mari, un procès dans lequel Yuki représentait le ministère public.

Elle connaissait l'affaire sur toutes ses coutures – chaque témoin, chaque élément, chaque preuve matérielle et circonstancielle.

L'accusée était coupable, et Yuki devait à tout prix la faire condamner. Il en allait de sa réputation, mais aussi de son amour-propre.

Elle était satisfaite du choix des jurés. Les différents dossiers concernant l'affaire étaient soigneusement classés dans son ordinateur portable, les pièces à conviction dans une chemise en carton, et elle avait pris soin de réaliser des fiches à consulter en cas de trou de mémoire.

Son texte, elle l'avait maintes fois répété ces derniers jours, devant son supérieur et plusieurs de ses collègues. Elle s'était également entraînée avec Nick Gaines, son assistant.

Elle maîtrisait donc parfaitement son réquisitoire, et la suite du procès prendrait naturellement la direction dans laquelle elle souhaitait le voir s'engager.

À cet instant, Nick entra dans la pièce, un gobelet de café dans chaque main, le sourire aux lèvres et les cheveux hirsutes.

— Tu es superbe, Yuki, lui dit-il.

Yuki balaya le compliment d'un geste de la main. Elle avait revêtu ce qu'elle appelait sa « tenue de combat » : chemisier blanc en soie naturelle rehaussé du collier de perles de sa défunte mère, costume tailleur bleu marine à fines rayures et chaussures à talons plats.

— Ce que je veux, surtout, c'est foutre la trouille à la défense.

Gaines éclata de rire et Yuki se joignit à lui.

— Et si on y allait maintenant, Nicky, histoire d'être un peu en avance ?

Ils se dirigèrent vers le hall à travers le dédale de bureaux et empruntèrent l'ascenseur pour redescendre au troisième étage, où les portes menant aux différentes salles d'audience s'alignaient de part et d'autre du couloir principal.

Yuki était concentrée et se préparait mentalement à l'épreuve qui l'attendait. Elle se répéta qu'elle était prête, qu'elle était douée. Elle savait ce qu'elle avait à dire.

Mais le plus dur restait à faire.

Elle devait encore déloger à coups de pied au cul le doute qui subsistait en elle.

8

Gaines tint la porte ouverte pour laisser passer Yuki, puis tous deux pénétrèrent dans la grande salle lambrissée de chêne. Le banc de la défense était encore vide. Seule une petite dizaine de personnes avaient pris place dans la tribune.

Ils s'installèrent sur le banc de l'accusation ; Yuki lissa ses cheveux et les pans de sa veste, puis aligna soigneusement son ordinateur sur le bord de la table.

— Si je me retrouve en rade, fais-moi un petit sourire, dit-elle à Nick.

— Tu connais *Luke la main froide* ? Quand je lèverai mes deux pouces, ça voudra dire Yuki la main froide !

— Merci, Nicky.

Yuki préparait toujours ses interventions de façon extrêmement rigoureuse, mais elle avait déjà perdu plusieurs procès pour lesquels la victoire semblait acquise. Et ces défaites à répétition avaient fini par amenuiser sa confiance en elle. Elle avait eu beau gagner son dernier procès, son adversaire lui avait décoché une repartie cinglante qui lui avait laissé un souvenir douloureux : « Félicitations, Yuki ! Belle victoire. Ça vous en fait combien ? Une d'affilée ? »

Aujourd'hui, elle affrontait Philip Hoffman, un avocat face auquel elle avait déjà essuyé plusieurs défaites. Mais Hoffman n'avait rien d'un sale type. C'était même un vrai gentleman. Il ne donnait pas dans la théâtralité, ne se montrait jamais narquois. C'était un avocat sérieux, associé dans un prestigieux cabinet et spécialisé dans le droit criminel et la défense des riches.

Sa cliente, le docteur Candace Martin, était, quant à elle, une chirurgienne cardiaque renommée, accusée d'avoir tué son mari adultère.

Candace Martin plaidait non coupable, mais il existait suffisamment de preuves pour la faire condamner plusieurs fois. La police avait même retrouvé le flingue encore fumant !

La nervosité de Yuki commençait à s'estomper.

Elle savait ce qu'elle avait à faire. Et elle avait de quoi étayer son discours.

9

Cindy Thomas faisait partie de la douzaine de personnes rassemblées dans la grande salle de conférences du *San Francisco Chronicle*. La réunion avait démarré depuis plus d'une heure, et tout portait à croire qu'elle risquait de durer une heure supplémentaire.

Ces séances de travail avaient perdu leur côté collégial et détendu. Avant, les gens n'hésitaient pas à glisser des plaisanteries et à rire de bon cœur, mais depuis la crise économique et l'avènement de l'accès libre et gratuit à l'information sur Internet, tous se posaient des questions sur leur avenir.

Qui allait conserver son poste ?

Qui allait devoir bientôt faire le travail de deux personnes ?

Combien de temps le journal allait-il encore pouvoir se maintenir à flot ?

Et, depuis peu, il y avait une nouvelle flingueuse en ville : Lisa Greening, qui avait été engagée comme rédactrice en chef. Lisa avait huit années d'expérience dans le domaine, deux au *New York Times*, trois au *Chicago Tribune*, et trois au *L.A. Times*.

Elle avait bâti sa notoriété grâce à une enquête sur le PC Killer, un escroc doublé d'un fétichiste des pieds, qui avait terrorisé la côte Ouest en séduisant des femmes pour les piéger, les tuer, puis leur découper les pieds, qu'il conservait dans son congélateur comme des trophées.

Greening avait obtenu le prix Pulitzer pour ce travail, une récompense qui lui avait permis d'intégrer son nouveau poste au *Chronicle*.

Étant, au sein du journal, la spécialiste des affaires criminelles, Cindy se sentait particulièrement vulnérable. Lisa Greening connaissait le milieu du crime aussi bien que Cindy – sinon mieux – et si elle ne parvenait pas à maintenir un niveau très élevé, elle

risquait de faire les frais de la prochaine coupe bud-
gétaire. Greening reprendrait alors le territoire laissé
libre et Cindy se verrait reléguée au rang de simple
pigiste payée au lance-pierres.

La moitié des rédacteurs présents s'étaient exprimés,
et c'était maintenant au tour d'Abadaya Premawar-
dena, rédactrice pour la rubrique voyage, de prendre
la parole.

Il était question de croisières et de prix cassés sur
les îles Fidji et les Samoa lorsque Cindy se leva et se
dirigea vers le fond de la salle pour se resservir une
tasse de café.

Sa dernière grosse enquête, concernant une cam-
brioleuse surnommée Hello Kitty, spécialisée dans le
vol de bijoux chez de riches célébrités, avait fait beaucoup de bruit. Depuis, Hello Kitty s'était mise au vert,
ou bien à la retraite, mais dans un cas comme dans
l'autre, le travail de Cindy n'y était probablement pas
étranger. Pour autant, tout cela appartenait désormais
au passé, et le sujet de son prochain papier, le genre
d'article censé faire vendre, elle ne le connaissait pas
encore.

Cindy se rassit, et Lisa Greening tourna vers elle
ses yeux gris et perçants :

— Et toi, Cynthia, tu nous prépares quoi pour la
semaine prochaine ?

— J'ai bouclé mon papier sur l'agresseur des distributeurs de billets. Le jeune a été arrêté et il est
maintenant incarcéré sans possibilité de caution.

— Oui, c'est ce que tu as écrit dans ta colonne
d'hier. Quoi de neuf aujourd'hui ?

— Je travaille sur plusieurs projets.

— Dis-nous, si tu as besoin d'aide.

— Ça ira, merci, répondit Cindy en adressant à Greening un sourire à la fois charmant et plein de confiance.

Greening se tourna vers la personne suivante et Cindy retourna à ses pensées, soulagée que son tour soit passé.

10

Cindy quitta la réunion avec la trouille au ventre. Elle regagna son bureau, et, avant même de s'être assise, contacta Hai Nguyen, son contact au sein de la brigade de répression du banditisme.

— Des nouvelles de l'agresseur des distributeurs ? demanda-t-elle.

— Désolé, Cindy, répliqua Nguyen. Aucun commentaire pour l'instant.

Cindy savait que Nguyen l'aiderait s'il le pouvait, mais cela ne l'avançait guère. Pendant que les flics négociaient avec ce jeune truand, elle devait pondre un article de huit colonnes avant 16 heures.

Comment faire ?

Elle venait de suspendre son manteau à la patère lorsque son téléphone se mit à sonner. L'écran digital affichait *Metro Hospital*.

Elle empoigna le combiné :

— Cindy Thomas, j'écoute ?

— Cindy ? C'est moi, Joyce.

Joyce Miller travaillait comme infirmière au service des urgences. C'était une fille intelligente, agréable et généreuse. Cindy et elle avaient autrefois vécu dans le même immeuble et fini par se lier d'amitié à force de papoter en buvant du bordeaux bon marché, ou en regardant des films sur Sundance Channel.

— Joyce ? Que se passe-t-il ?

— C'est à propos de ma cousine Laura. Elle se comporte d'une façon très étrange, comme si elle revenait d'un voyage dans un univers parallèle. Tu l'as rencontrée à mon anniversaire. Elle travaille dans un cabinet juridique, tu te souviens ? Elle t'avait trouvée super sympa. Écoute, je l'ai convaincue de venir aux urgences en lui disant que je pourrais lui obtenir des somnifères, mais elle refuse de se laisser examiner ou de prévenir la police.

— Qu'entends-tu au juste par « elle se comporte d'une façon étrange » ?

— J'ai l'impression qu'elle a été droguée. Et je crois qu'il lui est arrivé quelque chose pendant qu'elle était dans les vapes – c'est-à-dire pendant huit heures ! Elle s'est réveillée au milieu d'un massif d'arbustes devant chez elle. C'est ma cousine, et je l'adore, Cindy. Tu veux bien venir tant qu'elle est là ? Je suis persuadée qu'à nous deux, on parviendra à la faire parler.

— Tu veux que je vienne… maintenant ?

Cindy jeta un coup d'œil à sa montre. Il ne lui restait plus que six heures pour boucler son article. Six heures et huit colonnes vides qu'elle devait à tout prix remplir !

— Elle est comme une sœur pour moi, insista Joyce d'une voix brisée par l'émotion.

Cindy laissa échapper un soupir.

Elle transféra ses appels vers le standard, quitta l'immeuble, et prit le BART jusqu'à la 24ᵉ. De là, elle marcha jusqu'au Metropolitan Hospital, au croisement de Valencia et de la 26ᵉ. Joyce l'attendait à l'entrée. Les deux amies échangèrent une étreinte, puis Joyce conduisit Cindy dans l'essaim bourdonnant des urgences.

11

Laura Rizzo était assise au bord de son lit. Âgée comme Cindy d'une trentaine d'années, elle avait les cheveux noirs, une carrure athlétique, et portait un jean et un sweat-shirt bleu marine de l'université de Boston. Ses mouvements étaient saccadés et ses yeux si grands ouverts que les iris apparaissaient entièrement cerclés de blanc. On avait l'impression qu'elle venait de mettre les doigts dans une prise électrique.

— Tu te souviens de Cindy Thomas ? fit Joyce.

— Oui... Salut, Cindy ! Qu'est-ce que tu fais là ?

— J'aimerais que tu lui racontes ce qui t'est arrivé. Elle pourra sûrement t'aider.

— Écoutez, c'est gentil à vous d'être venues, mais... Je ne suis pas là pour ça. Je vais bien, j'ai juste besoin d'un somnifère !

— Reviens un peu à la réalité, Laura ! Tu m'as appelée parce que tu étais complètement flippée, et ça ne m'étonne pas. Il t'est forcément arrivé quelque chose. Un truc grave !

Laura observa longuement sa cousine, puis, se tournant vers Cindy :

— Je dois reconnaître qu'il y a comme un blanc dans ma soirée d'hier. Je me rappelle avoir voulu acheter une pizza et une bouteille de vin en sortant du bureau, et je me suis réveillée allongée au milieu des hortensias devant mon immeuble. Il était environ 2 heures du matin, et je n'avais ni pizza, ni vin. J'ignore complètement comment je me suis retrouvée là.

— Mon Dieu ! s'exclama Joyce en secouant la tête. Et après ? Tu t'es relevée et tu es rentrée chez toi, tout simplement ?

— Qu'est-ce que je pouvais faire d'autre ? J'avais toujours mon sac à main. J'ai vérifié, il ne manquait rien. Je n'avais donc pas été volée. Je suis montée chez moi et j'ai pris une douche. C'est à ce moment-là que je me suis rendu compte que j'avais des douleurs...

— Quel genre de douleurs ? Comme si tu t'étais battue ? demanda Cindy.

— Des douleurs ici, répondit Laura en indiquant son entrejambe.

— Comme si tu avais été violée ?

— Oui. Et pendant que j'étais sous la douche, j'ai eu le vague souvenir d'une voix d'homme qui parlait de gagner de l'argent, beaucoup d'argent... Une chose est sûre, c'est que je n'ai rien gagné.

— Es-tu allée dans un endroit particulier en sortant de ton travail ? Un bar, une fête ?

— Ça ne m'arrive presque jamais. Je suis plutôt du genre pantouflard. Non, je suis rentrée chez moi. Et d'une manière ou d'une autre, je... je ne sais pas. Écoute, Joyce, même si je me laisse examiner par un médecin, je refuse d'aller voir les flics. Je les connais, les flics. Mon oncle était de la police. Si je leur dis que je ne sais pas ce qui m'est arrivé, ils vont me prendre pour une cinglée.

12

Phil Hoffman faisait les cent pas devant le guichet d'accueil de la prison située au septième étage du palais de justice. Il attendait sa cliente, le docteur Candace Martin, qui se changeait en vue de la première journée de son procès.

Elle semblait tenir le choc et faisait preuve d'une grande détermination. Les circonstances actuelles n'avaient rien d'agréable, mais elle avait courageusement supporté sa détention – la promiscuité avec les autres détenues, les règles strictes de la vie carcérale.

C'était maintenant à lui de jouer.

S'il parvenait à obtenir l'acquittement, Candace pourrait réintégrer son poste de chef du service de chirurgie cardiaque au Metro Hospital. Sa réputation cesserait d'être entachée et elle pourrait récupérer la garde de ses deux enfants – lesquels, à l'instant même, les attendaient devant la salle d'audience.

Phil s'était entretenu avec eux et les estimait capables de supporter la pression. En revanche, il savait que la lutte avec son adversaire serait âpre.

Phil avait déjà affronté Yuki Castellano par le passé, et s'il appréciait son tempérament fougueux et son intelligence, il connaissait aussi sa plus grande faiblesse. Yuki était du genre à foncer tête baissée, guidée par sa seule passion, aveugle aux nids-de-poule et aux panneaux de danger qui jalonnaient la route.

Sans vouloir pour autant verser dans la fanfaronnade, il estimait ses chances de victoire supérieures à celles de Yuki.

Phil s'immobilisa en entendant le cliquetis des serrures. Candace apparut dans l'encadrement de la porte, menottée et vêtue d'un élégant tailleur de ville.

— Bonjour, Phil ! lança-t-elle.

Phil s'approcha d'elle et posa la main sur son épaule :

— Comment allez-vous, Candace ?

— Ça va. J'attends ce jour depuis si longtemps. L'année qui vient de s'écouler m'a paru durer une éternité.

La gardienne lui ôta ses menottes et déclara :

— Bonne chance, docteur Martin.

— Merci, Dede, répondit Candace en se frottant les poignets.

Phil appuya sur le bouton de l'ascenseur et sourit à sa cliente tandis qu'ils descendaient au troisième étage.

Lui aussi avait attendu ce procès pendant plus d'un an. Et il était certain que cette journée allait se révéler excellente.

13

Les deux cents personnes réunies dans la salle d'audience 3B semblaient parler toutes en même temps. Yuki était en train d'envoyer un texto à son supérieur pour lui dire qu'il y avait un mystérieux retard lorsque l'huissier déclara :

— Silence. Veuillez vous lever. L'audience, présidée par l'honorable juge Byron LaVan, est ouverte.

Le juge fit son entrée dans la grande salle lambrissée.

Âgé de cinquante-deux ans, LaVan était un homme au visage carré, aux cheveux en bataille, le nez chaussé de lunettes à monture noire. Il était connu pour son caractère colérique et son impressionnant parcours professionnel.

Il prit place sur son siège, devant le sceau de la Californie, le drapeau américain à sa droite, celui de l'État à sa gauche, son ordinateur portable ouvert face à lui. Il était prêt.

Lorsque tout le monde se fut rassis, il s'excusa pour son retard d'un ton brusque en invoquant une affaire familiale urgente, puis demanda à l'huissier de faire entrer le jury.

Les douze jurés et les deux suppléants s'alignèrent dans le box et commencèrent à déposer leurs sacs à main et autres calepins et stylos, avant de prendre place sur leurs fauteuils pivotants. À la droite de Yuki, Phil Hoffman murmurait quelque chose à l'oreille de sa cliente, le docteur Candace Martin.

Au premier rang, juste derrière elle, étaient assis ses deux jeunes et magnifiques enfants, Caitlin et Duncan, tels deux petits anges totalement ignorants de ce qui était en train de se dérouler.

C'était donc ainsi qu'Hoffman comptait la jouer, songea Yuki. Il cherchait à s'attirer la sympathie et la compassion des jurés.

Soudain, elle comprit qu'en amenant les enfants au procès il comptait aussi la forcer à mettre un bémol à son discours pour ne pas choquer les petits.

Quel enfoiré de manipulateur !

Elle ne pouvait pas laisser passer une telle chose.

Tout en écoutant le juge donner ses instructions au jury, Yuki repensa à l'époque où elle gagnait un salaire confortable dans un important cabinet d'avocats, une place qu'elle avait abandonnée pour se tourner vers une activité plus riche de sens – à la fois pour elle et pour les habitants de San Francisco.

Mais elle n'était pas une pure altruiste. Après avoir passé deux ans à défendre les riches, Yuki avait décidé qu'elle œuvrerait désormais à envoyer en taule les assassins comme Candace Martin, qui pensaient pouvoir échapper à une condamnation en engageant un avocat payé mille dollars de l'heure.

Après avoir donné ses instructions aux jurés, le juge se tourna pour faire face à la salle. Yuki se leva et lança :

— Votre Honneur, puis-je m'entretenir avec vous un instant ?

Le juge LaVan la dévisagea comme si elle venait de laisser échapper un pet bruyant. Dommage, pensa-t-elle. Elle n'en resta pas moins fermement campée sur ses jambes en attendant que le juge leur fasse signe d'approcher, à elle et à Hoffman, dont la silhouette de séquoia éclipsait presque complètement Yuki et son mètre cinquante-sept. Elle avait l'impression d'être une gamine à côté de lui, le haut de sa tête atteignant tout juste le niveau de son aisselle.

— Votre Honneur, je m'oppose à la présence des enfants dans la salle d'audience. L'État accuse leur mère d'avoir assassiné leur père, et ce que j'ai à dire va forcément les choquer. Leur détresse pourrait influencer les jurés.

— Monsieur Hoffman, quelle est votre position ? s'enquit LaVan.

— Les enfants sont bien élevés et ils connaissent parfaitement la situation, Votre Honneur. Leur mère est innocente. Ils sont là pour la soutenir.

LaVan essuya ses lunettes avec un mouchoir, puis les remit sur son nez :

— Dites ce que vous avez à dire, mademoiselle Castellano. Ignorez les enfants. Je vais demander aux jurés d'en faire autant. Maintenant, si vous le voulez bien, j'aimerais que nous commencions. L'accusation est-elle prête ?

— Oui, Votre Honneur.

— Alors nous vous écoutons.

14

Yuki sentait des flots d'adrénaline irriguer son corps tout entier tandis qu'elle s'avançait en direction du lutrin. Elle se força à relâcher ses épaules et à sourire, balaya du regard le box du jury, puis se lança dans son réquisitoire :

— Le docteur Candace Martin est accusée de meurtre avec préméditation – c'est-à-dire de meurtre au premier degré, lança-t-elle d'une voix qui résonna à travers la salle d'audience.

» Durant les jours qui vont suivre, l'État de Californie prouvera, hors de tout doute raisonnable, que le docteur Martin a tué son mari en lui tirant dessus. Nous apporterons des éléments matériels et des témoignages qui montreront que les mains de l'accusée ne sont pas seulement sales, mais noires comme le péché.

À la grande satisfaction de Yuki, toute l'assistance retint son souffle. Des murmures parcoururent la salle comme un courant d'air et elle attendit que le silence se fasse avant de reprendre, développant son argumentation avec une clarté limpide :

— Dennis Martin a été abattu chez lui à l'aide d'une arme à feu, la nuit du 14 septembre de l'année dernière.

» Les quatre personnes présentes dans la maison au moment du meurtre étaient Candace Martin, ses deux enfants et la cuisinière. Tous ont été interrogés par la police, qui a saisi un certain nombre de preuves. Le calibre 22 qui a servi à tuer Dennis Martin a été retrouvé sur la scène de crime, et des traces de poudre ont été relevées sur les mains de Candace Martin.

» Il n'existe qu'un seul moyen pour se retrouver avec des traces de poudre sur les mains. Pour cela, il faut saisir un pistolet et faire feu.

Yuki expliqua ensuite aux jurés que Candace Martin avait eu les moyens et la possibilité de tuer son mari.

— Nous ne sommes pas tenus de déterminer le mobile, mais nous vous exposerons les raisons pour lesquelles Candace Martin a planifié et exécuté l'assassinat de son mari.

» Dennis Martin était un coureur de jupons invétéré. À l'époque où il a été tué, il était engagé dans une relation extraconjugale et ne cherchait pas à s'en cacher.

» Tout au long de leurs treize années de mariage, il a torturé sa femme en lui faisant part de ses infidélités, et, ce 14 septembre, Candace Martin en a eu assez.

» Dans notre société, l'infidélité maritale est un motif de divorce, mais Candace Martin a décidé qu'il s'agissait d'un crime passible de la peine de mort. Après avoir supprimé son mari, elle croyait pouvoir récupérer l'ensemble de leurs biens communs et recommencer sa vie avec ses enfants dans sa magnifique villa à trois millions et demi de dollars. Elle pensait également se régaler de ce plat qu'on consomme volontiers froid : la vengeance.

Yuki coula un regard vers les enfants Martin. Le garçon l'observait avec la bouche grande ouverte et la fille affichait un visage renfrogné. Le juge lui avait enjoint de les ignorer, et Yuki s'y efforça tandis qu'elle détruisait de manière préventive les futurs arguments de la défense.

— M. Hoffman vous dira que sa cliente est innocente. Il vous dira que l'accusée se trouvait dans son bureau lorsqu'elle a entendu des coups de feu dans l'entrée. Il vous expliquera ensuite qu'elle a découvert son mari allongé par terre, blessé, et qu'en vérifiant son pouls, elle s'est rendu compte qu'il était mort. Et à cet instant – devinez quoi ? Elle a entendu une personne s'enfuir en passant par la porte principale.

» M. Hoffman vous dira alors que Candace Martin a crié, et que l'intrus, surpris, a lâché son arme. Il continuera en affirmant que sa cliente a ramassé ladite arme et qu'elle a poursuivi l'intrus jusque sur le perron pour lui tirer dessus.

» Voici l'explication de la défense concernant les traces de poudre relevées sur les mains de Candace Martin.

» Le seul problème, fit Yuki en observant les quatorze jurés assis dans le box, c'est que cette histoire est entièrement fausse.

» Il n'y a jamais eu d'intrus.

» Personne ne s'est introduit par effraction ce soir-là, et d'ailleurs rien n'a été dérobé.

» En revanche, Candace Martin a confié à plusieurs personnes qu'elle souhaitait la mort de son mari. Et le soir même de cet accident fatal, elle a été vue en train de manipuler un pistolet.

» Notre travail, au bureau du procureur, consiste à représenter la victime, et c'est ce que nous ferons au cours de ce procès. Mais si M. Martin avait pu s'exprimer en personne, il vous aurait dit qui a pressé la détente de l'arme qui l'a tué. (Yuki pointa son doigt vers la jolie blonde qui mâchouillait nerveusement le bout d'une de ses mèches de cheveux.) Il vous aurait dit que c'est sa femme, le docteur Candace Martin, qui l'a assassiné.

15

Le Susie's est un bar caribéen qui a le pouvoir de vous changer les idées en moins de temps qu'il n'en faut pour le dire. Les murs y sont peints en jaune, le calypso joué par un groupe en live, la nourriture délicieusement épicée et la bière servie bien fraîche. L'endroit fait également office de quartier général pour notre club, baptisé le *Women's Murder Club* par Cindy Thomas, la journaliste de la bande.

J'éprouvais le besoin irrépressible de m'y octroyer une heure de pause. Conklin et moi avions passé la journée à essayer de retrouver le bébé d'Avis, effectué des recherches avec des chiens détecteurs de cadavres aux alentours de Lake Merced, sonné aux portes de toutes les maisons du quartier en montrant aux gens une photo d'Avis Richardson ; des plongeurs avaient même exploré les rives du lac – en vain.

Et dix minutes plus tôt, Jacobi avait reçu un surpre-
nant coup de fil lui annonçant qu'Avis s'était réfugiée
chez les parents d'une camarade de classe, lesquels
gardaient porte close afin de tenir Avis à l'écart de la
police jusqu'au retour de ses parents, en déplacement
en Nouvelle-Zélande. Avis avait donc été localisée,
mais nous n'avions toujours pas retrouvé son bébé. Le
pauvre petit était peut-être déjà mort.

Claire et moi nous rendîmes sur place avec ma voiture. Par miracle, nous dénichâmes une place sur Jackson Street, à l'angle de Montgomery. Nous franchîmes
les portes, et aussitôt, les rires et le son des percussions
nous enveloppèrent. Nous saluâmes quelques connais-
sances et passâmes devant le bar en direction de la
salle du fond, où Yuki nous attendait à notre table
habituelle. Une délicieuse odeur s'échappait des portes
entrouvertes de la cuisine.

— Salut, les filles ! lança Lorraine.

Elle déposa sur la table un pichet rempli de bière
et un verre de margarita à la pastèque pour Yuki – une
boisson qui la rend ivre à chaque fois, mais qu'elle ne
manque jamais de commander.

Je me glissai sur la banquette à côté d'elle, tandis
que Claire prenait place face à nous. Yuki leva son
verre et but une grande gorgée.

— Doucement ! lui cria-t-on à l'unisson.

Yuki s'étrangla en riant :

— J'ai quand même bien le droit de me bourrer la
gueule ! bafouilla-t-elle d'un air indigné. J'ai été brillante lors de mon réquisitoire ! Le seul problème, c'est
que le juge a reçu un coup de fil en plein milieu de
l'audience. Sa mère est mourante, et apparemment les
nouvelles n'étaient pas bonnes. Il a suspendu l'audience

pour la journée, ce qui veut dire que d'ici demain, Phil Hoffman aura eu le temps d'étudier en détail toute la transcription et qu'il ne fera de moi qu'une bouchée.

Sur ce, Cindy, qui, comme à son habitude, arrivait la dernière, se faufila à côté de Claire et lui envoya un coup de hanche.

— Allez, fais-moi un peu de place ! s'exclama-t-elle.

— Les filles, il faut absolument que je vous raconte ce qui m'est arrivé aujourd'hui, lança Claire. Alors, je vous préviens, j'aimerais bien pouvoir en placer une ! Ne m'obligez pas à devenir méchante !

— Vas-y, je te cède ma place, fit Yuki en levant son verre vide en direction de la lumière.

Claire entama son récit sans attendre d'éventuelles protestations de la part de ses deux autres amies :

— Pour rendre service à un ami, j'ai dû me rendre dans une maison perdue au beau milieu du delta du Sacramento, le genre de zone marécageuse à laquelle on accède par des petites routes tortueuses posées sur des digues. En arrivant sur place, je me suis retrouvée devant une cabane de chasseur.

» En fait, le vieux type qui vivait là avait payé toutes ses factures avec deux semaines d'avance et, depuis, plus personne ne l'avait revu. Forcément, les gens ont commencé à se poser des questions.

Cindy s'amusait à tapoter ses clés contre son Black-Berry pendant que Claire racontait son histoire.

— En entrant dans la chambre, j'ai vu la forme d'un corps sous les draps, poursuivit Claire en lui ôtant le portable des mains pour le fourrer dans sa poche, comme on le ferait avec une enfant.

— Hé ! protesta Cindy.

Je ne pus m'empêcher d'éclater de rire. Claire reprit le fil de son récit, ignorant Cindy qui fouillait sa veste pour lui reprendre le téléphone :

— J'ai donc soulevé la couverture, et devinez sur quoi je suis tombée ? Un cadavre, momifié par la chaleur, avec un AK 47 dans les mains !

Cindy s'immobilisa et la dévisagea fixement :

— Il était mort avec un fusil dans les mains ?

— Il s'était suicidé avec, répondit Claire. Je peux vous dire que j'ai senti mon cœur s'emballer comme jamais !

Cindy semblait sous le choc.

— Ne t'inquiète pas, Cin', la charria Claire. J'ai eu peur sur le coup, mais maintenant ça va mieux.

Cindy pivota sa tête vers moi, ses boucles blondes tressautant comme des petits ressorts. Ses yeux bleus accrochèrent mon regard :

— Je viens de recevoir un texto en provenance des urgences du Metropolitan. Une autre fille croit avoir été violée.

— Une autre fille ? Qui *croit* avoir été violée ?

— Je sens qu'il se passe quelque chose de vraiment pas net, Linds. Tu ne voudrais pas me rendre service et me déposer à l'hôpital ?

16

J'enfonçai la pédale d'accélérateur et nous nous élançâmes dans Columbus Avenue en direction de Montgomery Street. Nous passâmes à toute berzingue devant le Transamerica Pyramid, la sirène à fond pour nous frayer un passage dans la circulation plus que dense des sorties de bureaux.

À côté de moi, cramponnée à l'accoudoir, Cindy me racontait l'histoire de Laura Rizzo, une femme qui avait peut-être été droguée et violée la nuit où Avis Richardson avait été trouvée errant par une nuit sans lune aux abords de Lake Merced.

Cette histoire se révélait pour le moins étrange, et je voulais à tout prix voir de quoi il retournait.

Deux femmes avaient été agressées, peut-être trois – et aucune n'en conservait le moindre souvenir ? Y avait-il un lien avec Avis Richardson, ou bien était-ce moi qui cherchais désespérément à en trouver un ?

Je briefai rapidement Cindy sur l'affaire Richardson et nous arrivâmes bientôt au croisement de Montgomery et de Market. Après avoir failli percuter l'arrière d'une énorme Lexus, je m'engageai sur la voie du tramway d'un brusque coup de volant. Le visage de Cindy avait pris une teinte blanchâtre, mais j'étais sur ma lancée et ne comptais pas réduire ma vitesse.

— Une adolescente a été récemment amenée aux urgences du Metropolitan Hospital par un couple d'automobilistes. Ce que je te dis là doit rester strictement confidentiel, Cindy.

— OK.

— Je suis sérieuse.

— J'ai compris, Linds. Strictement confidentiel.

Je hochai la tête, pris un virage serré sur la droite et déboulai dans Mission Street au niveau des jardins de Yerba-Buena. Lorsque je confie quelque chose à Cindy, j'hésite toujours à lui demander une promesse écrite de ne pas en parler dans son prochain article. Je sais qu'elle est honnête, mais elle est aussi journaliste. En l'occurrence, nous n'étions pas encore prêts à voir cette histoire de bébé kidnappé éclater au grand jour.

Je ne savais toujours pas à quoi nous avions réellement affaire. Avis Richardson avait-elle été victime de plusieurs crimes atroces, ou avait-elle tué son propre enfant ? Je pressai la pédale d'accélérateur comme si le fait de retrouver le petit en dépendait. Nous traversâmes le quartier hispanique, avec ses guichets de banque et ses vendeurs de souvenirs installés sous les vieux frontons défraîchis des théâtres construits dans les années 1920. Je pris à droite dans la 26e.

— Elle venait tout juste d'accoucher, poursuivis-je. Le problème, c'est qu'aucun bébé n'a été retrouvé. La fille n'avait aucun souvenir de l'accouchement, et maintenant qu'elle n'est plus en état de choc, elle refuse de nous parler.

— Pourquoi ça ?

— Je n'en ai pas la moindre idée.

Cindy me fit promettre de la tenir informée de toute avancée significative dès qu'il serait possible de les confier à la presse. Je promis, puis m'engageai dans

Valencia Street et garai mon vieux tas de ferraille devant l'hôpital.

17

Nous entrâmes dans le hall surpeuplé du Metropolitan Hospital, où nous attendait l'amie de Cindy, Joyce Miller, une femme aux cheveux bruns âgée d'environ trente-cinq ans, en tenue d'infirmière.

— Merci d'être venue, Lindsay. Merci infiniment, me dit-elle en me serrant chaleureusement la main.

Nous suivîmes un dédale de couloirs au sol recouvert de linoléum, slalomant entre les brancards et les fauteuils roulants. Arrivées aux urgences, nous rencontrâmes Anne Bennett, victime potentielle d'une agression sexuelle.

Âgée d'une petite quarantaine d'années, Mme Bennett travaillait comme agent de voyages et semblait aussi fatiguée que si elle venait de courir un marathon. D'une voix chevrotante, elle nous expliqua qu'elle se rappelait avoir pris un taxi pour se rendre à son bureau, tôt dans la matinée, et qu'elle s'était réveillée derrière une benne à ordures dans une ruelle située à un pâté de maisons de chez elle.

— À part ça, je n'ai aucun souvenir, conclut-elle. Mon chemisier était boutonné de travers et je n'avais plus mes collants, mais je portais encore mes escarpins noirs, ceux avec une boucle dorée. Mon sac à main était posé sur ma poitrine. J'avais toujours mon téléphone et mon portefeuille, avec tout mon argent.

— Vous n'avez absolument aucun souvenir des dix heures qui se sont écoulées entre le moment où vous êtes partie pour votre travail et celui où vous avez repris connaissance ?

— Aucun, répondit Anne Bennett en m'observant de ses yeux injectés de sang. C'est comme si quelqu'un avait effacé ces dix heures de mon cerveau. D'après le médecin qui m'a examinée, j'ai subi un traumatisme sexuel. Le dernier rapport que j'ai eu avec mon compagnon remonte à quatre jours, et je vous assure que ça n'avait rien de traumatisant. On se fréquente depuis longtemps maintenant, et notre relation est parfaitement harmonieuse sur ce plan-là. Il est très doux, et c'est ce qui me plaît.

Anne Bennett nous racontait son histoire sans détour, et même si son récit était d'une grande clarté, la panique se lisait dans son regard. Elle semblait effectuer un effort considérable pour fouiller dans sa mémoire – sans rien y trouver.

18

Hoffman se leva comme l'huissier déclarait l'audience ouverte, et les jurés entrèrent les uns à la suite des autres. L'avocat se rassit en songeant à la jurée numéro trois, Valérie Truman, une mère célibataire qui travaillait dans une bibliothèque et gagnait à peine un millième de ce que Candace Martin touchait en un an. Il songea aussi au numéro sept, William Breitling, un joueur de golf professionnel à la retraite doté d'un fort charisme. Breitling n'était pas le président, mais Hoffman était persuadé qu'il influencerait grandement les autres jurés.

Le juge LaVan demanda à Hoffman s'il était prêt.

— Je le suis, Votre Honneur, répondit ce dernier en quittant son siège pour se diriger tout droit vers le box du jury.

Il posa la main sur la rambarde, salua les jurés, et se lança dans sa plaidoirie :

— Hier, l'accusation a livré son réquisitoire, et je dois reconnaître que Mlle Castellano s'en est très bien sortie. Elle a simplement omis d'évoquer certains aspects importants de cette affaire, à commencer par l'innocence de ma cliente, le docteur Candace Martin.

William Breitling sourit de toutes ses dents à facettes, et Hoffman sentit que la glace était en train de fondre dans le box des jurés.

— Voici ce qui s'est produit ce fameux soir du 14 septembre. Le docteur Martin venait de rentrer de l'hôpital, où elle avait opéré avec succès un homme qui allait pouvoir se rétablir complètement. Elle était très satisfaite de sa journée.

» Elle a dit bonjour à l'un de ses enfants, puis elle a emprunté le couloir en direction de son bureau afin de téléphoner à la femme de son patient.

» Elle avait retiré ses lunettes pour se frotter les yeux, et elle était sur le point de composer le numéro lorsqu'elle a entendu des bruits semblables à des coups de feu en provenance de l'entrée.

» Surprise, elle a sursauté, et ses lunettes sont tombées par terre. Ce point-là aussi, Mlle Castellano a omis de l'aborder.

Tout en parlant, Hoffman arpentait la longueur du box, s'arrêtant lorsqu'il souhaitait souligner un mot ou une phrase en particulier. Les jurés le suivaient du regard tandis qu'il expliquait que sa cliente avait retrouvé son mari gisant sur le sol, le corps ensanglanté, et qu'elle s'était rendu compte de sa mort après avoir contrôlé ses signes vitaux.

— Lorsqu'elle a relevé la tête, ma cliente a vu la silhouette d'une personne tapie dans l'ombre. Elle était incapable de distinguer son visage ; terrifiée, elle a poussé un cri. L'intrus a alors lâché son arme et s'est enfui en courant. Le docteur Martin a ramassé son pistolet et l'a poursuivi jusque sur les marches de la porte d'entrée.

» Ma cliente ne s'était encore jamais servie d'une arme à feu, mais elle a quand même tiré plusieurs coups en l'air, sans rien toucher. Voilà comment elle s'est retrouvée avec des traces de poudre sur les mains.

» Aussitôt après avoir tiré, elle est retournée dans la maison pour appeler la police. Tout à fait le comportement d'une personne innocente.

» L'accusation nous a expliqué que Dennis Martin était un coureur de jupons invétéré, mais que l'infidélité conjugale n'était pas un crime passible de la peine de mort. C'est exact. Et le docteur Martin le savait bien. Elle savait également que son mariage traversait une période difficile. En effet, elle aussi avait une liaison.

» Elle n'était pas jalouse. Elle se disait que son mariage finirait par se remettre sur les rails, ou bien qu'il prendrait fin.

» Ma cliente est une femme moderne qui mène une carrière brillante. Elle n'est ni Pollyanna, ni la princesse de Nerola, mais une chirurgienne cardiaque très respectée, une mère formidable, et une épouse qui aimait son mari.

Hoffman se tourna vers sa cliente, et ajouta :

— Mesdames et messieurs les jurés, j'aimerais que vous regardiez cette femme pour ce qu'elle est, à savoir la victime d'une police surmenée qui a choisi la solution de facilité : rejeter la faute sur l'épouse. Et pour ne rien arranger, le ministère public est représenté par une avocate qui, pour des raisons personnelles, doit impérativement gagner ce procès.

19

La repartie cinglante d'Hoffman, Yuki en ressentit l'impact de manière physique, comme un coup de poing dans le ventre. Quel enfoiré ! Cette attaque était outrancière, voire diffamatoire. L'espace d'une seconde, elle s'imagina se lever et s'écrier : « Objection, Votre Honneur. L'avocat de la défense essaie de se rattraper aux branches en racontant n'importe quoi. Je demande à ce qu'il soit expulsé de la salle d'audience ! »

Nick Gaines, son assistant et copilote, poussa devant elle un calepin sur lequel, caricaturiste génial, il était parvenu à représenter en quelques coups de crayon un Phil Hoffman dégingandé, les mains autour de la gorge ; à côté de lui, Yuki, figurée par un simple bonhomme, tenait dans ses mains un lance-pierres, le tout surmonté de ce titre : « Loser. »

Yuki repoussa le calepin devant Nick. Elle avait saisi le message. Ce coup bas d'Hoffman n'allait faire que renforcer la sympathie des jurés à son égard. Elle se remettrait de ce camouflet. « Pour le moment, fais en sorte que personne ne voie que tu transpires », se dit-elle.

Elle se leva et déclara :

— Votre Honneur, pourriez-vous rappeler aux jurés que le discours préliminaire prononcé par l'avocat de la défense ne constitue en aucun cas une vérité ?

— C'est chose faite, soupira le juge LaVan.

Le premier témoin de Yuki n'était autre que l'officier de police qui avait répondu à l'appel radio lui demandant de se rendre au domicile du couple Martin. L'officier Patrick Lawrence expliqua qu'il se trouvait dans le quartier et qu'il avait été sur place en moins d'une minute. Il avait interrogé le docteur Martin et était resté avec elle en attendant l'arrivée de l'équipe médicale, de l'inspecteur Chi et du lieutenant Clapper, qui avaient alors pris possession des lieux.

Yuki démontra que le docteur Martin semblait en pleine maîtrise de ses émotions et que la venue rapide de l'officier Lawrence ne lui avait pas laissé le temps de se laver les mains ou de nettoyer la scène de crime.

Après le témoignage de Lawrence, Yuki appela à la barre le détective privé Joseph Podesta, un quinquagénaire au physique avenant, à l'apparence soignée, qui avait été engagé par Dennis Martin pour surveiller sa femme.

Yuki l'interrogea sur ses références. L'homme expliqua aux jurés qu'il avait travaillé comme enquêteur pour le procureur à Sacramento pendant douze ans, et qu'il exerçait à présent la profession de détective privé. Il avait commencé cette nouvelle carrière vingt ans plus tôt, à Chicago, et officiait actuellement à San Francisco.

— Pourquoi Dennis Martin vous avait-il engagé ? questionna Yuki.

— Monsieur Martin savait que sa femme le trompait et il voulait des photos la montrant... disons, « en flagrant délit ».

— Êtes-vous parvenu à réaliser ces clichés de l'accusée et de son amant ?

— Oui.

— Avez-vous appris autre chose durant le laps de temps où vous l'avez espionnée ?

— Oui.

— De quoi s'agissait-il ?

— Un soir, alors que je la suivais, j'ai assisté à une rencontre entre Candace Martin et un homme que je crois être un tueur à gages.

Une rumeur parcourut la salle, et Hoffman bondit sur ses pieds :

— Objection, Votre Honneur. Cette information n'a rien de fondé. Comment le témoin peut-il affirmer qu'il s'agissait d'un tueur à gages ? Et s'il en était si sûr, pourquoi n'a-t-il pas alors contacté la police ? Le ministère public utilise ce témoignage on ne peut plus douteux pour salir la réputation de ma cliente !

Le juge rétablit le silence en frappant deux coups secs avec son marteau, puis déclara :

— J'aimerais en entendre davantage, monsieur Hoffman.

Yuki reprit la parole :

— Avez-vous des preuves de cette rencontre, monsieur Podesta ?

— J'avais suivi le docteur Martin depuis son domicile de St. Francis Wood jusqu'à Davidson Avenue, pas très loin de Hunters Point, une rue qui se termine en cul-de-sac. Un SUV Toyota était garé tout au bout, près de l'autoroute. C'est un quartier plutôt mal famé, mais j'ai trouvé un endroit d'où je pouvais voir sans être vu.

— Poursuivez, monsieur Podesta.

— Le rendez-vous était manifestement clandestin. J'ai pris des photos du docteur Martin en train de monter dans le Toyota. C'est plus tard, en les important sur mon ordinateur, que j'ai cru reconnaître le visage de l'homme qui était au volant.

— Que s'est-il passé ensuite ?

— Deux semaines plus tard, Dennis Martin a été assassiné.

— Qu'avez-vous alors fait ?

— J'ai comparé mes photos avec celles de la liste des personnes recherchées par le FBI. Pour moi, il s'agissait de Gregor Guzman.

— Et pourquoi Gregor Guzman figure-t-il sur cette liste ?

— Votre Honneur, ce témoin est-il un agent du FBI ? Qu'est-ce que… ?

— Asseyez-vous, monsieur Hoffman ! Le témoin peut tout à fait répondre en se fondant sur ce qu'il croit savoir.

— Le FBI le soupçonne d'avoir commis plusieurs meurtres en Californie et dans d'autres États, mais aussi dans plusieurs pays étrangers. Il n'a jamais été arrêté. J'ai contacté le FBI à trois reprises, mais ils ne m'ont jamais rappelé.

Yuki présenta ensuite la photo montrant Candace Martin assise sur le siège passager d'un SUV de couleur sombre, à côté d'un homme à la calvitie naissante. L'image, prise de nuit au téléobjectif, n'était pas très nette, mais elle était telle que Podesta l'avait décrite.

— Merci, monsieur Podesta fit Yuki. J'en ai fini avec ce témoin, Votre Honneur.

20

— Votre Honneur, j'aimerais avoir un entretien en aparté, lança Hoffman d'un ton sec.

Le juge fit signe aux deux avocats de s'approcher.

— Je vous écoute, monsieur Hoffman.

— Votre Honneur, ce témoin est un simple détective privé. Il ne fait pas partie de la police. Ses déclarations ne reposent que sur des hypothèses. Où est-il passé, ce soi-disant tueur à gages ? Pourquoi ne figure-t-il pas sur la liste des témoins ? Et pourquoi ma cliente serait-elle allée rencontrer cet homme, dont rien ne prouve qu'il est un tueur, comme le dit M. Podesta ?

— Mademoiselle Castellano ?

— À aucun moment M. Podesta n'a prétendu apporter le témoignage d'un expert. Il a suivi l'accusée dans le cadre d'une filature, et il s'avère qu'elle est montée à bord d'une voiture conduite par un homme qui ressemblait fortement à Gregor Guzman. M. Podesta a pris des photos de ce rendez-vous clandestin, et c'est après être rentré chez lui, en comparant ses clichés avec les photos de Guzman fournies par le FBI, qu'il a trouvé une ressemblance entre les deux hommes. Telle est du moins son opinion, et il nous la livre dans son témoignage.

— J'ai entendu ce que vous aviez à dire, monsieur Hoffman. Vous pouvez contre-interroger le témoin.

Phil Hoffman prit soin de retourner s'asseoir avant de s'adresser à Joseph Podesta, afin de montrer aux jurés le peu de considération qu'il avait pour ce témoin.

— Monsieur Podesta, j'avoue ne pas trop savoir par quel bout de votre fiction commencer... Ah si ! ajouta-t-il aussitôt avant que Yuki ne fasse objection. Avez-vous déjà travaillé pour le FBI ?

— Non.

— Possédez-vous une formation spécialisée vous permettant d'identifier les tueurs à gages ?

— J'ai un très bon sens de l'observation.

— Vous ne répondez pas à ma question, monsieur Podesta. Avez-vous suivi une formation vous permettant d'identifier les tueurs à gages ? Avez-vous les empreintes digitales de cet homme ? Avez-vous son ADN ? Détenez-vous un enregistrement audio de la prétendue conversation que ma cliente aurait eue avec lui ?

— Objection ! s'écria Yuki. À laquelle de ces questions le témoin est-il censé répondre ?

— Je les retire toutes, répliqua Hoffman. Pour autant, cette pièce à conviction n'en est pas une. La qualité de la photographie est déplorable et le cliché n'apporte aucune preuve. Je fais objection au témoignage de M. Podesta et je demande à ce qu'il soit annulé.

— Objection rejetée, annonça le juge. Si vous avez fini d'interroger le témoin, celui-ci peut se retirer.

21

— J'appelle à la barre Mlle Ellen Lafferty, lança Yuki.

Les portes s'ouvrirent au fond de la salle et une jolie jeune femme aux cheveux auburn, âgée d'une vingtaine d'années, fit son entrée. Vêtue d'un costume tailleur moulant et d'un chemisier orné d'un petit nœud au niveau du col, elle remonta l'allée centrale jusqu'à la barre des témoins, où elle prêta serment.

— Travaillez-vous pour Candace Martin et feu Dennis Martin ? lui demanda Yuki.

— Oui.

— À quel titre ?

— Je garde leurs enfants. Je travaille chez eux la journée et je rentre chez moi le soir.

— Depuis combien de temps exercez-vous cette activité ?

— Environ trois ans.

Yuki lui adressa un petit signe de tête en guise d'encouragement.

— Comment définiriez-vous la relation qui unissait les époux Martin ?

— En un mot, je dirais « explosive ».

— Et en développant un peu ?

— Ils se détestaient. Dennis voulait divorcer, et ça rendait Candace furieuse. Une fois, elle m'a confié qu'elle voyait le divorce comme quelque chose de « trop compliqué », que ça ne serait bon ni pour les enfants, ni pour sa réputation dans le milieu médical.

— Je vois, observa Yuki.

Le témoin décrivit un mariage où l'amour avait été remplacé par des considérations d'ordre pragmatique, et Yuki savait que les jurés comprendraient ce que cela impliquait.

— Étiez-vous chez les Martin le jour où Dennis a été assassiné ? demanda-t-elle.

— Oui, répondit Lafferty.

Jusque-là, elle avait gardé les yeux rivés sur Yuki, mais elle détourna le regard pour le poser sur l'accusée.

— S'est-il produit quelque chose d'inhabituel ce soir-là ?

— Absolument.

— Expliquez.

Lafferty se repositionna face à Yuki :

— Je m'apprêtais à rentrer chez moi. Il était 18 heures et j'avais rendez-vous avec une amie au restaurant à 18 h 15. Je ne l'avais pas vue depuis longtemps et j'avais vraiment hâte de la rejoindre.

— Poursuivez.

— J'étais en train de me mettre du rouge à lèvres quand le docteur Martin est rentrée. L'expression de son visage était étrange. Elle avait l'air égarée, ou peut-être un peu en colère. Je suis allée dans son bureau pour lui demander si tout allait bien, et en entrant, je l'ai vue reposer un pistolet dans un tiroir.

— Vous êtes certaine qu'il s'agissait d'un pistolet ? demanda Yuki.

— Tout à fait.

— Le docteur Martin vous avait-elle déjà dit qu'elle souhaitait la mort de son mari ?

— Un nombre incalculable de fois.

— Un nombre incalculable de fois, répéta Yuki à l'intention des jurés, d'un ton chargé de sous-entendus. Et M. Martin ? Vous parlait-il des sentiments qu'il avait pour son épouse ?

— Il la trouvait froide. Il répétait souvent qu'il n'avait pas confiance en elle.

— Merci, mademoiselle Lafferty. Je n'ai plus de questions, Votre Honneur.

Hoffman se leva en faisant grincer les pieds de sa chaise sur le parquet en chêne, fourra ses mains dans ses poches et s'approcha de la jeune femme, dont les épaules se raidirent. Elle leva les yeux vers l'avocat.

— Ellen... Je peux vous appeler Ellen ?

— Je ne préfère pas.

— Pardonnez-moi. Mademoiselle Lafferty, pensiez-vous que le docteur Martin allait tuer son mari ?

— Je ne sais pas... Oui, peut-être.

— Donc, si vous pensiez qu'elle était sur le point de commettre un meurtre, pourquoi, en la voyant manipuler une arme à feu, n'avez-vous pas prévenu la police ?

Yuki vit la vertueuse indignation de Lafferty disparaître derrière le masque du chagrin. Comme si elle exhortait les jurés et Hoffman à comprendre son attitude, elle répondit :

— J'avais la tête ailleurs. J'étais pressée de partir. Avec le recul, je me rends compte que j'aurais dû appeler la police ou alerter M. Martin. Je m'en veux terriblement. Si j'avais agi, M. Martin serait encore en vie, et les enfants auraient encore leur père.

Le cri du petit garçon retentit dans la salle comme une sirène :

— Elleeeeen !

— Duncan, je suis là, ma puce, s'écria Lafferty. Je suis là.

C'est à cet instant que le juge LaVan perdit son sang-froid.

22

Yuki emprunta l'ascenseur pour se rendre à l'étage du procureur. Le cri du petit Duncan résonnait encore dans sa tête, et elle n'arrêtait pas de repenser à la réaction du juge LaVan.

Mon Dieu. C'était comme si l'enfant avait hurlé : « Arrêtez de me frapper ! » Il y avait de fortes chances pour que le stratagème d'Hoffman visant à s'attirer la sympathie des jurés ait fonctionné.

Yuki déposa sa mallette dans son petit bureau sans fenêtre et prit la direction du bureau d'angle donnant sur Bryant Street. Elle frappa à la porte ouverte.

— Entre, Yuki, fit Leonard Parisi. Assieds-toi.

Parisi, adjoint du procureur et supérieur direct de Yuki, était surnommé Red Dog en raison de son épaisse tignasse rousse et de son incroyable opiniâ-treté. C'était un homme de cinquante ans au physique imposant, taillé en forme de poire, à la peau grêlée et aux artères bouchées, mais ce jour-là, l'expression de son visage faisait plaisir à voir.

Il souriait ! Il lui souriait, à elle !

— Je suis allé jeter un coup d'œil ce matin pendant que tu interrogeais le détective privé. Tu as fait du bon boulot, Yuki. Je suis impressionné !

— Merci, Len. LaVan vient à l'instant de nous convoquer dans son cabinet, fit Yuki en prenant place sur une chaise face à lui.

— Ah oui ? Pour quelle raison ?

— Hoffman avait fait venir les enfants de l'accusée dans la salle d'audience, à la fois pour gagner la sympathie des jurés et pour chercher à me décontenancer. Je me suis opposée à leur présence, mais LaVan n'y a pas trouvé à redire.

» Bref, j'étais en train d'interroger Ellen Lafferty, la nounou des enfants, et elle venait de dire que Dennis serait toujours en vie si elle avait appelé la police en voyant Candace manipuler une arme, quand soudain le petit garçon s'est mis à hurler « Elleeeeen ! Elleeeeen ! ». Du coup, Lafferty s'est retournée pour lui parler, « Ne t'inquiète pas, Duncan, je suis là ». Tu vois le genre...

— Je vois, lâcha Parisi avec un grognement compatissant.

— Le juge a suspendu l'audience pour la journée et nous a demandé de le rejoindre dans son cabinet. Il a expliqué à Hoffman que les enfants devraient désormais rester chez eux, et qu'il n'hésiterait pas à les faire expulser en cas de non-respect de cette consigne.

— Parfait. LaVan n'est pas du genre à plaisanter.

— Len, il y a un truc dont j'aimerais te parler. Hoffman est venu me voir en sortant de chez le juge pour me dire que le témoignage d'Ellen Lafferty n'était qu'un tissu de mensonges. Je lui ai répondu que ce n'était pas avec son contre-interrogatoire que j'avais pu m'en rendre compte. Il voulait m'en dire plus mais je n'avais pas le temps de m'attarder à écouter ses conner...

— Il cherche à te retourner le cerveau, c'est évident. Il veut saper ta confiance. Te couper dans ton élan. Quel enf...! Pour changer de sujet, moi aussi je voulais te parler de quelque chose. Craig Jasper va bientôt nous quitter. Il part pour San Diego à la fin du mois.

Craig Jasper, l'un des plus brillants éléments au sein du bureau du procureur, avait toujours été le protégé de Red Dog. Yuki lui répondit qu'elle était désolée de l'apprendre, mais il l'arrêta d'un geste de la main.

— J'y vois une opportunité pour toi, Yuki. Encore quelques victoires à ton palmarès, et ce sera bon.

Le visage de Yuki s'illumina. Elle aurait adoré obtenir une promotion doublée d'une augmentation de salaire. Il était grand temps. L'affaire Martin, déjà importante, était devenue capitale en l'espace de quelques secondes.

— J'ai un bon feeling avec ce procès, déclara-t-elle en se levant pour partir.

— Moi aussi, renchérit Red Dog.

De nouveau, un sourire se dessina sur les lèvres de Yuki.

Elle sortit du bureau et alla se remaquiller aux toilettes. Si la perspective d'un nouveau job comportant davantage de responsabilités l'enthousiasmait, cela impliquait aussi davantage de pression. Et la pression, elle en avait déjà largement sa dose.

Elle avait rendez-vous un peu plus tard avec un homme presque trop beau pour elle, et elle espérait pouvoir se calmer d'ici là, histoire de ne pas l'effrayer en monopolisant la parole.

Ils avaient beaucoup de points communs. L'homme en question était un flic.

23

J'étais sur le parking, prête à rentrer chez moi, lorsque je vis Phil Hoffman s'approcher au pas de course. Hoffman est une personne que j'apprécie. Même si son métier l'amène à faire libérer des tueurs, des pervers et autres déchets humains, c'est l'un des rares avocats que je connais capable de s'acquitter de ce sale boulot sans en tirer une fierté quelconque.

D'un autre côté, Yuki était actuellement engagée dans une lutte à mort avec lui, et Yuki était mon amie.

— Salut, Phil ! lançai-je en ôtant ma veste pour la déposer sur la banquette arrière de mon Explorer.

— J'ai besoin de votre aide, Lindsay.

— On pourrait voir ça demain ? J'ai eu une journée infernale, répondis-je en repensant à la douzaine d'heures que je venais de passer à tenter de retrouver le bébé d'Avis Richardson.

— Ça ne prendra pas plus d'une minute.

— Je vous écoute.

— Vous avez entendu parler de l'affaire Candace Martin ?

— Bien sûr. C'est mon collègue Paul Chi qui a mené l'enquête. Et j'en ai bien sûr entendu parler par Yuki.

— Bien sûr, fit Hoffman en posant sa mallette à ses pieds. (Il se passa la main dans les cheveux.) J'ai eu connaissance d'un nouvel élément concernant la déclaration de l'un des témoins. J'ai voulu en parler à Yuki, mais pour elle, je suis l'ennemi, et elle refuse d'entendre ce que j'ai à lui dire.

— Pourquoi ne pas exprimer tout ça devant la cour, Phil ?

— Si Yuki acceptait de m'écouter en dehors de la salle d'audience, ce serait mieux pour tout le monde. La nouvelle information dont je dispose va complètement bouleverser le procès. Que les choses soient claires : l'affaire sera classée sans suite et vous allez devoir arrêter quelqu'un d'autre pour le meurtre de Dennis Martin.

Une confusion s'empara de mon esprit. Je ne voyais pas pourquoi c'était à moi qu'il venait parler de tout ça.

— En quoi puis-je vous aider ?

— J'aimerais que vous alliez parler à ma cliente.

— Moi ?

— Oui. Après ça, vous pourrez peut-être convaincre Yuki de m'écouter.

— Si je comprends bien, c'est un moyen détourné d'accéder à Yuki ?

La requête d'Hoffman se révélait tout à fait déplacée. En s'adressant à moi, il court-circuitait tout le monde au sein du palais de justice. Pour autant, Paul Chi travaillait sous mes ordres, et si le SFPD et le bureau du procureur s'étaient trompés de coupable, cela me concernait au premier chef.

Cette demande me mettait mal à l'aise. Mais si tout cela se faisait de manière officieuse...

En tout cas, Phil Hoffman avait réussi à attirer mon attention.

24

L'inspecteur Paul Chi est un policier brillant, un véritable spécialiste des comportements criminels. J'avais du mal à croire qu'il ait pu se tromper en arrêtant Candace Martin.

Alors que mijotait donc Hoffman ?

Je laissai un message à Joe pour le prévenir que je rentrerais plus tard que prévu, puis rebroussai chemin au milieu du flot d'employés quittant le palais de justice.

Je trouvai Chi et McNeill en compagnie de Brady, dans le minuscule bureau de ce dernier. Je frappai à la vitre. Brady me fit signe d'entrer et Cappy McNeill se leva. Il rentra son ventre pour me laisser passer et me céda sa chaise. McNeill a cinq ans de plus que moi, à la fois en âge et en ancienneté dans la police. Il manque d'ambition, mais c'est quelqu'un de fiable, qui aime son métier, fonctionne à l'instinct et se fie à son expérience.

Quant à Brady, je l'avais vu se démener en pleine tempête et affronter un tueur prêt à tout. Il avait du courage à revendre, mais il était nouveau à San Francisco. Il ne connaissait pas Phil Hoffman, et ne dirigeait pas encore la brigade à l'époque où Candace Martin avait été arrêtée pour le meurtre de son mari.

Après avoir refait ma queue-de-cheval, je leur relatai ma conversation avec Hoffman sur le parking :

— En gros, Hoffman prétend que sa cliente n'est pas la coupable. Il pense que nous devrions rouvrir l'enquête et arrêter le véritable assassin de Dennis Martin.

— Vraiment ? Et de qui s'agit-il selon lui ? demanda Chi.

— Il m'a dit que sa cliente me donnerait son nom si j'allais lui parler.

— Candace Martin est coupable, grogna McNeill. Point barre. Hoffman est coincé, alors il tente le tout pour le tout. Je dois reconnaître qu'il a de la ressource. Il devrait écrire des scénarios !

— Cette affaire est limpide, ajouta Chi. Il n'y a pas à chercher midi à quatorze heures.

Il commença à énumérer toutes les preuves matérielles : l'arme du crime, les empreintes digitales, les résidus de poudre retrouvés sur les mains de Candace Martin.

— Tu es en train de me dire qu'aucun tribunal n'a jamais condamné un innocent ? demandai-je à Chi.

— Où voulez-vous en venir au juste, sergent ? lança Brady. Je ne vous suis pas très bien. (Il envoya un texto sur son téléphone portable, puis leva les yeux vers moi.) Combien de temps avez-vous travaillé au cours des dernières vingt-quatre heures ?

— Je n'ai pas fait le compte.

— Moi si. Dix-huit heures d'affilée. L'enquête est terminée depuis un an. C'est maintenant à la justice de se prononcer, alors rentrez vous reposer, Boxer. Une bonne nuit de sommeil vous fera le plus grand bien. Demain, il va falloir absolument progresser sur l'affaire Richardson.

Je sentis les poils de mon cou se dresser. C'était la première fois que je rencontrais une telle résistance de la part de Chi et de McNeill. En ce qui concernait le nouveau lieutenant, je ne savais pas s'il faisait preuve de fermeture d'esprit – ou bien s'il avait raison.

Je levai les deux mains en signe de reddition et quittai de nouveau la salle de la brigade. J'appelai Hoffman dans la foulée pour lui demander de me retrouver dans cinq minutes au septième étage.

Il me remercia, puis déclara :

— Vous n'aurez pas à le regretter.

Pourtant, je regrettais déjà. L'histoire de Phil Hoffman m'avait interpellée, et j'étais sur le point de désobéir à mon supérieur sans avoir rien à y gagner.

25

Il existe deux prisons à l'intérieur du palais de justice, chacune munie d'un ascenseur indépendant conçu pour relier directement le hall d'entrée au septième étage, où je retrouvai Phil Hoffman.

L'expression de son visage indiquait son soulagement de me voir arriver. De mon côté, l'anxiété me brûlait l'estomac. Je n'avais pas à me trouver là, à faire ce que j'étais en train de faire. Ce n'était pas mon boulot.

— Merci d'être venue, Lindsay.

Nous longeâmes des couloirs crasseux et suréclairés en direction d'une petite salle utilisée pour les rencontres entre les détenus et leurs avocats.

— Je prends sur mon temps libre, Phil. Cette entrevue n'aura aucun caractère officiel.

Une minute plus tard, Candace Martin arriva, escortée par un gardien. Elle portait la combinaison orange des taulards, et, bizarrement, ce vêtement lui allait plutôt bien. Elle n'était pas maquillée, et avec ses cheveux détachés, elle paraissait plus jeune que ses quarante ans. Hoffman nous présenta l'une à l'autre et nous prîmes place autour de la table.

— Candace, j'aimerais que vous répétiez au sergent Boxer ce que vous m'avez raconté.

— Tout d'abord, merci d'être venue, sergent Boxer. Je sais que rien ne vous y obligeait.

— Je vous préviens, je n'ai que quelques minutes à vous accorder.

Elle hocha la tête et entra tout de suite dans le vif du sujet :

— Ellen Lafferty a menti, je n'ai jamais eu de pistolet dans mon bureau. C'est le tueur qui a introduit cette arme chez moi. Alors, me direz-vous, pourquoi a-t-elle fait un faux témoignage ? Ça n'a aucun sens... Sauf si elle cherche à me faire condamner.

— Pourquoi voudrait-elle faire ça ? demandai-je.

— Mon mari était un homme séduisant et il se décrivait lui-même comme accro au sexe. Il aurait baisé un arbre s'il en avait vu un en porte-jarretelles. Il aimait à me dire qu'Ellen était une « bombe », et qu'il tenterait bien de la « désamorcer » rien que pour voir ma tête. Mais je me suis toujours gardée de réagir, pour ne pas lui donner cette satisfaction. (Je la vis serrer les poings.) Vous savez ce qui me préoccupait, sergent ? Mes enfants. Caitlin et Duncan adorent Ellen. Je voulais absolument lui faire confiance.

— Je ne vois pas où vous voulez en venir, docteur Martin. Même si Ellen et votre mari avaient une liaison, pourquoi aurait-elle commis un parjure ? Pourquoi vous accuserait-elle de meurtre ?

— Au départ, je ne comprenais pas pourquoi cet intrus avait tiré sur Dennis. Mais aujourd'hui, après avoir entendu Ellen proférer des mensonges gros comme une maison, j'ai eu un déclic. Je me suis dit : peut-être que Dennis couchait avec elle ? Peut-être qu'il lui avait promis de divorcer mais que les choses n'allaient pas assez vite à son goût ? Peut-être qu'elle lui avait lancé un ultimatum et qu'il ne l'avait pas respecté ? Et si c'était elle, après tout, ce soi-disant intrus qui a tué mon mari ?

— Ça en fait des « peut-être ». Désolée, mais vous n'avez aucune preuve de ce que vous avancez.

Je me levai, déjà prête à oublier cette entrevue pour aller rejoindre mon mari.

— Je sais bien que ce ne sont là que des hypothèses, mais si vous saviez à quel point Dennis était manipulateur, vous n'auriez aucun mal à admettre qu'il ait pu se servir d'elle pour me faire enrager – et vice versa.

— Désolée, docteur Martin. C'est une théorie intéressante, mais ça reste une simple théorie.

J'avais beau me montrer rude, le sort de Candace Martin ne m'était pas indifférent. Je m'étais déjà retrouvée accusée, à tort, d'avoir commis un meurtre, et à part mes avocats, tout le monde m'avait tourné le dos. Ce que disait Candace Martin était tout de même loin d'être farfelu.

Malgré tout, ce n'était pas à moi d'en décider.

— S'il vous plaît, sergent, aidez-moi, lança-t-elle tandis que je faisais signe au gardien de m'ouvrir la porte. Je n'ai pas tué mon mari. Pendant que je suis enfermée ici, à attendre de savoir le sort qu'on me réserve, cette fille est chez moi et c'est elle qui s'occupe de mes enfants. C'est ma vie qui se joue dans ce procès. Ma vie !

26

Le lendemain matin, Conklin et moi nous rendîmes dans la luxueuse suite des Richardson, au Mark Hopkins, l'un des plus beaux hôtels de San Francisco, doté d'une vue à couper le souffle depuis le sommet de Nob Hill.

Conklin questionna Avis Richardson pendant que ses parents, anéantis et au bord de l'hystérie, rôdaient au fond de la pièce.

Il se montra d'une extrême gentillesse envers la jeune fille, mais malgré tout son tact et sa délicatesse, il n'obtint rien d'autre que des « je ne me souviens de rien ».

Plus de trois jours s'étaient écoulés depuis son passage à l'hôpital, et l'adolescente semblait toujours autant bouleversée et introvertie. Son langage corporel indiquait qu'elle n'écoutait pas vraiment Conklin. Elle était sur une autre planète.

Au bout d'un moment, Paul Richardson cessa d'arpenter l'épais tapis d'orient qui recouvrait le parquet et lança :

— Pour l'amour de Dieu, Avis, essaie de faire un effort de mémoire. Comment veux-tu que l'inspecteur Conklin te vienne en aide s'il n'a rien sur quoi s'appuyer ? C'est une question de vie ou de mort, j'espère que tu le comprends ?

Un employé de l'hôtel sonna à la porte.

Sonja Richardson apporta une tasse de chocolat chaud à sa fille, puis me prit à part :

— Avis n'est pas dans son état normal, me glissa-t-elle. D'ordinaire, elle est vive, enjouée. Elle aime plaisanter. Je pense qu'elle fait une dépression nerveuse. Je me demande encore ce qui nous a pris. C'est elle qui nous a suppliés de rester vivre ici quand Paul a été muté. Elle avait ses amis, et puis nous comptions sur le personnel d'encadrement de Brighton... On se disait qu'elle ne risquait rien au pensionnat.

Je retournai dans le salon et m'assis tout près d'Avis. Son regard était inexpressif. Elle avait souffert physiquement. Son bébé avait disparu. Elle devait sûrement ressentir une profonde culpabilité.

Mais pourquoi ne demandait-elle aucune nouvelle de son fils ? Elle aurait dû nous poser des dizaines de questions. Que faisions-nous pour tenter de le retrouver ? Quelles étaient les chances qu'il soit encore en vie ? Non, ces détails ne semblaient pas la préoccuper.

Savait-elle qu'il était déjà mort ?

L'avait-elle enterré elle-même ?

Le père de l'enfant était-il impliqué dans cette horrible histoire ?

Conklin opta pour une nouvelle tactique :

— As-tu subi des menaces, Avis ? Quelqu'un t'a-t-il dit qu'il s'en prendrait au bébé si tu parlais à la police ?

Je vis presque une ampoule s'allumer au-dessus de la tête d'Avis. Elle leva les yeux vers un coin du plafond et déclara :

— Oui. Le Français m'a dit qu'il tuerait mon bébé si j'allais voir la police.

L'alarme branchée à mon détecteur de mensonges se déclencha aussitôt.

Je bondis de mon fauteuil club, et, du haut de mon mètre soixante-dix-huit, lançai d'un ton menaçant :

— J'aimerais parler à Avis en tête à tête.

Un silence de plusieurs secondes accueillit mon initiative, puis Conklin se tourna vers les parents de l'adolescente :

— Je vous propose de me suivre dans la pièce d'à côté, monsieur et madame Richardson. J'en profiterai pour vous demander divers renseignements d'ordre administratif.

Avis me dévisagea lorsque nous fûmes seules, et je lus la peur dans son regard. Elle me craignait. Peut-être se disait-elle que Conklin était le flic sympa, et moi la méchante.

En cela, elle n'avait pas tort.

— Maintenant, tu vas parler, Avis. Je veux retrouver ton bébé, et que ce soit ici ou au poste de police, je ne te lâcherai pas tant que tu ne m'auras pas dit la vérité. C'est clair ?

— Je vous rappelle que c'est moi la victime, gémit-elle. Ce n'est quand même pas ma faute si j'ai été kidnappée !

— Je peux tout à fait te placer en garde à vue pour quarante-huit heures en tant que témoin. Et dis-toi bien que, pendant tout ce temps-là, je ne vais pas m'amuser à te préparer des chocolats chauds. Au contraire, je vais te pourrir la vie, et quand je serai fatiguée, je ferai venir mes collègues pour me remplacer. Crois-moi, ce ne sont pas des tendres.

— Vous dites n'importe quoi !

— Détrompe-toi, Avis. En ce moment même, on est en train de demander une autorisation pour obtenir tes relevés téléphoniques. (Je soulevai mon fauteuil pour le rapprocher du canapé.) Nous allons bientôt connaître les noms de tous ceux avec qui tu as communiqué par téléphone durant l'année. On trouvera forcément quelque chose.

Elle resta coite.

Un silence exaspérant.

— Mais bordel, ton bébé a disparu ! Il est peut-être mort à l'heure qu'il est. Tu es sa mère. Il n'a que toi, Avis. Et moi, je n'ai que toi pour m'aider à progresser dans mon enquête, alors arrête un peu tes conneries !

Avis Richardson jeta un coup d'œil furtif vers la porte.

— Ils me tueront si je parle.

Je me levai pour aller fermer le verrou de la porte donnant sur la pièce attenante et revins m'asseoir près d'elle. Je sentais mon cœur sur le point d'exploser.

Les yeux d'Avis s'emplirent de larmes, puis elle se mit à parler.

27

— Je ne voulais pas que mes parents apprennent que j'étais enceinte, commença l'adolescente. (Elle se mit en boule, les genoux ramenés contre la poitrine ; ses ongles de pied peints en noir dépassaient de la couverture dans laquelle elle s'était enveloppée.) Et puis il y a quelques mois, j'ai vu une annonce sur Prattslist.

Prattslist. Il s'agissait d'un forum mêlant publicités et petites annonces de particulier à particulier. Le site servait également d'annuaire pour les prostituées et les prédateurs sexuels de toutes sortes à la recherche de leur prochaine victime.

— Dis-m'en plus sur cette annonce.

— Ça disait quelque chose comme : « Vous êtes enceinte ? Nous proposons de vous prendre en charge depuis la naissance jusqu'à... euh... jusqu'au placement de votre enfant chez des parents adoptifs. » (Elle me jeta un regard en coin.) Alors j'ai appelé le numéro.

Je secouai la tête, désespérée de voir que cette fille, qui aurait pu bénéficier du meilleur suivi médical de la planète, avait préféré dissimuler sa grossesse à ses proches et remettre sa vie entre les mains d'étrangers rencontrés par le biais d'un forum notoirement connu pour être l'un des plus grands repaires de pervers du Web.

— Continue.

Elle m'expliqua que c'était l'homme à l'accent français qui avait répondu à son appel. Il lui avait demandé de rappeler au moment où elle commencerait à avoir des contractions, et précisé qu'il y aurait des papiers à signer.

— Il m'a dit qu'il était médecin et que l'accouchement se déroulerait aussi bien qu'à l'hôpital. Il m'a dit également que les parents adoptifs seraient des gens sélectionnés après une enquête approfondie, et qu'il me rembourserait dix mille dollars pour les dépenses prénatales.

Foutaises ! Avis Richardson avait purement et simplement vendu son bébé.

J'étais bien sûr furieuse, mais j'avais également bon espoir que le bébé soit encore vivant.

— Et toi, tu as cru à ce qu'il t'a raconté ? demandai-je en tâchant de ne pas laisser transparaître mes émotions. Tu ne t'es pas méfiée ?

— Non. J'étais reconnaissante.

Je n'en croyais pas mes oreilles.

Avis Richardson savait depuis le début ce qui était arrivé à son bébé. Elle avait menti au SFPD, et à cause d'elle, nous avions mobilisé la moitié de nos effectifs pour des recherches parfaitement inutiles. Une perte de temps et d'argent considérable.

Au moins, c'en était fini des mensonges.

Si Avis ne voulait pas passer la nuit en prison, elle avait intérêt à nous dire toute la vérité.

28

Avis Richardson grattait les restes de vernis sur ses ongles tout en me racontant comment, deux mois après avoir contacté « le Français », elle s'était mise à avoir des contractions. Elle avait alors rappelé l'homme et lui avait donné rendez-vous à quelques rues de son pensionnat.

— Tu as gardé le numéro ?

— Oui, mais plus personne ne répond. (Elle marqua un bref temps de pause avant de reprendre son récit.) J'étais nerveuse. Je me disais que les gens risquaient de se poser des questions à me voir attendre comme ça en pleine rue. Quand la voiture est arrivée, j'ai vu que c'était une quatre portes, de couleur sombre, propre. Je me suis dépêchée de monter à l'arrière.

Sûrement une voiture de location, songeai-je.

Avis m'expliqua qu'il y avait deux hommes à l'avant, mais que leurs visages étaient plongés dans la pénombre, et qu'une fois à l'intérieur, elle n'avait vu que leurs nuques. Ils lui avaient demandé de s'allonger par terre, sous une couverture.

— Combien de temps a duré le trajet ? m'enquis-je. Est-ce que tu as entendu quelque chose qui pourrait nous aider à déterminer l'endroit où ils t'ont conduite ?

— Je ne sais pas exactement combien de temps je suis restée dans la voiture. Peut-être une heure ? Je me rappelle qu'ils avaient mis de la musique à la radio. À un moment, j'ai senti une aiguille s'enfoncer dans ma hanche à travers la couverture, puis on m'a fait sortir de la voiture et on m'a aidée à marcher jusqu'à une maison. J'étais à l'agonie, sergent Boxer.

— Tu as des souvenirs de cette maison ? La couleur ? Le style d'architecture ? C'était dans une zone résidentielle ?

— Je ne sais pas. J'étais cramponnée aux bras des deux types et je regardais par terre… Je me souviens d'avoir entendu la porte claquer derrière moi, mais j'étais dans les vapes. Quand je me suis réveillée, j'étais allongée dans un lit et j'avais des contractions toutes les deux minutes.

Je laissai échapper un soupir et ravalai ma colère. Cette histoire était si horrible que le fait de se distancier ainsi des événements constituait peut-être pour cette gamine le seul moyen de gérer le contrecoup psychologique.

— Quand je me suis réveillée à nouveau, il y avait une lumière qui m'arrivait en plein dans les yeux. C'était une lampe ronde en métal, fixée sur la porte. (Je hochai la tête et notai ce détail insignifiant.) À cause de cette lumière, je ne voyais pas les gens qui m'entouraient, et je me sentais tout engourdie. Ils m'ont fait boire de l'eau dans une bouteille rouge avec une paille.

» J'ai entendu le bébé pleurer et j'ai demandé à le voir, poursuivit-elle d'une voix plate. On m'a répondu que ce n'était pas une bonne idée, qu'il valait mieux pour mon bien que je ne le voie pas. On m'a dit aussi que c'était un beau garçon, qu'il était en parfaite santé. Et puis je me suis réveillée dans la rue.

» Il faisait sombre. Au début, je n'avais aucune idée de l'endroit où j'étais, mais après, j'ai vu un panneau « Lake Merced ». Mes vêtements étaient sales et pleins de sang, alors, quand j'ai aperçu un poncho par terre, sous des buissons, je me suis déshabillée et je l'ai enfilé.

Le poncho vert en plastique, seule et unique preuve matérielle dont nous disposions, n'avait donc pas été manipulé par les hommes qui étaient venus la prendre en voiture près de son pensionnat. Tant pis pour les trente-six heures passées par l'équipe scientifique à analyser le vêtement pour tenter de prélever des traces d'ADN.

— Ils auraient pu me tuer.

— Je ne sais pas si on peut dire ça, mais en un sens, tu as eu de la chance.

Les souvenirs les plus précis de la jeune fille ne m'étaient d'aucune utilité. Un faux accent français ; une berline de couleur sombre ; une lampe en métal ; une bouteille rouge avec une paille ; un poncho en plastique. Autant dire du vent.

Je comprenais pourquoi Avis avait délibérément effacé de sa mémoire certains éléments traumatisants, mais son manque d'intérêt pour son bébé continuait de m'interroger. Elle se moquait peut-être de savoir ce qui lui était arrivé, moi non.

Je comptais retrouver cet enfant, et ce à n'importe quel prix.

— Sais-tu où est ton bébé, Avis ?

— Non.

— As-tu été vraiment honnête avec moi ?

— Je vous jure que oui.

Je l'observai un instant, incapable de déterminer si elle se foutait de ma gueule ou pas. Il restait un point que nous n'avions pas encore abordé.

— Qui est le père du bébé ?

29

La Brighton Academy est située dans le quartier de Presidio Heights, presque cachée derrière deux grands arbres et un alignement de maisons victoriennes qui semblent plongées dans un profond sommeil. Quelle surprise de voir apparaître au coin de la rue quatre bâtiments en pierre entourant un ensemble de pelouses impeccablement tondues, ponctuées çà et là de petites haies et de potées de buis taillés en cône.

Des lycéens jouaient au tennis et au hockey sur gazon, d'autres discutaient assis sur des bancs ou allongés sous les arbres.

L'endroit respirait la verdure – le vert de la végétation et le vert des dollars.

Une sorte de Poudlard pour millionnaires.

Conklin et moi nous présentâmes au bureau de l'administration, où nous fûmes accueillis par le doyen, M. Hanover, un homme de forte corpulence portant une chemise rose, une cravate à pois et un blazer bleu marine.

Nous lui exposâmes la raison de notre venue : nous enquêtions sur le possible kidnapping dont avait été victime Avis Richardson, ainsi que sur la disparition de son bébé. Hanover transpirait malgré la fraîcheur de la température, et je savais pourquoi. Le doyen était confronté à un problème de taille.

— Quel cauchemar ! s'exclama Hanover. Cette pauvre petite. Et, bien entendu, ses parents vont nous intenter un procès.

J'obtins du doyen la permission d'interroger E. Lawrence Foster, le petit copain d'Avis, ainsi que ses six meilleurs amis, dont j'avais établi la liste.

— Parlez-moi un peu de ces jeunes, monsieur Hanover.

— Foster est un gamin sympa, qui ne pose pas de problèmes. Ses parents possèdent un magazine à New York. Il a beaucoup d'amis, mais j'avoue ne pas savoir grand-chose sur sa relation avec Avis.

Hanover nous présenta brièvement les autres adolescents que nous nous apprêtions à questionner : des gosses dont les riches parents vivaient dans d'autres États ou à l'étranger. Kristin Beale, la camarade de chambre d'Avis, ne faisait pas exception à la règle. Ses parents travaillaient pour l'armée et vivaient eux aussi à l'étranger.

Nous abandonnâmes le suintant doyen, franchîmes l'arche en pierre qui délimitait l'entrée du bureau et empruntâmes l'une des allées bordées de buissons en direction du bâtiment principal.

— Tu veux faire le flic sympa pour changer ? me demanda Rich.

— Encore faudrait-il que j'en sois capable.

30

Nous trouvâmes Larry Foster dans le laboratoire de chimie ultramoderne, situé dans l'aile sud. Il était tel que nous l'avait décrit le doyen : un lycéen sympa, beau gosse, dans un style très *East Coast*. Il portait le traditionnel uniforme scolaire – blazer, cravate, pantalon gris et baskets dernier cri.

Nous l'invitâmes à nous suivre dans une salle de classe vide. Je priais intérieurement pour que ce garçon nous fournisse un élément capable de nous mener jusqu'à son fils.

— Vous pensez que c'est moi le père ? Jamais de la vie ! s'exclama Larry. (Ses yeux gris s'illuminèrent et sa lèvre inférieure se mit à trembler.) Avis et moi, on est juste amis. Rien de plus.

— Amis, vraiment ? lança Conklin. Avis nous a dit que vous étiez un peu plus que de simples amis. Pourquoi nous aurait-elle menti ?

— Je n'en sais rien. Ce qui est sûr, c'est qu'on n'a jamais couché ensemble. Je vous jure que je n'ai jamais eu ce genre d'intention avec elle.

— Tu savais qu'elle était enceinte ?

— Ouais. Je le savais depuis la semaine dernière, mais je n'en avais parlé à personne. Elle m'a dit qu'elle portait l'enfant pour un couple stérile. Au début, j'ai cru qu'elle se foutait de moi, mais non, elle était sérieuse. Elle va bien, au fait ? Ça fait plusieurs jours qu'elle ne m'a pas appelé.

— Nous avons des raisons de croire qu'elle est tombée enceinte de manière naturelle, fit Conklin. Si c'est le cas, à ton avis, qui est le père de l'enfant ?

— Aucune idée. Je ne savais même pas qu'elle sortait avec quelqu'un.

Le suivant sur notre liste s'appelait Brandon Tucker, un jeune homme appelé à devenir footballeur professionnel. Il était plus grand que moi et possédait un sourire étrangement vicelard. J'avais vu pas mal de photos de lui sur la page Facebook d'Avis.

Était-il le père de l'enfant disparu ?

Après les questions d'usage, je demandai à Tucker ce qu'il savait concernant la grossesse d'Avis, son bébé et ses faits et gestes depuis trois jours.

— Un bébé ? Je ne suis au courant de rien, madame. Ça fait seulement une semaine que j'ai appris qu'elle était enceinte. Et franchement, ça m'a surpris. Avis est une fille discrète. Et plutôt rondouillarde. Je croyais qu'elle s'était juste un peu empâtée.

— Quelles relations entretenez-vous ? m'enquis-je. Tu es dans sa liste d'amis sur Facebook.

— Ça ne veut rien dire du tout. C'est elle qui m'a demandé comme ami, et j'ai accepté. Ça ne va pas chercher plus loin. Avant, elle m'aidait pour les cours de français, ajouta-t-il en rigolant. Elle me donnait des cours particuliers, et je la payais à l'heure. Mais uniquement pour des cours particuliers, je tiens à le préciser !

— Tu as déjà couché avec elle ? demanda Conklin.

— Moi ? Certainement pas ! rétorqua Tucker, l'air choqué par cette question. C'est pas du tout mon genre de nana ! Même bourré, je ne coucherais jamais avec elle.

— Et elle, quel genre de garçon lui plaît ?

— Des gars comme Larry Foster.

Trois autres élèves défilèrent dans la salle de classe, et tous avaient eu le temps d'apprendre qui nous étions et la raison de notre présence. D'après leurs dires, ils avaient eu vent de la grossesse d'Avis une semaine auparavant, et aucun ne savait qui était le père.

Ils nous répétèrent qu'Avis était une fille réservée, solitaire et intelligente, et que, sans être une paria, elle avait assez peu d'amis. Ses résultats scolaires étaient excellents.

Même les filles que nous interrogeâmes, lorsque nous les suppliâmes de nous aider à retrouver le bébé, nous répondirent qu'elles étaient incapables de nous fournir le moindre renseignement.

— Tu y crois, toi ? lança Conklin à la fin du dernier interrogatoire. Avis était à son neuvième mois de grossesse et personne ne savait rien.

— Ça me rappelle un truc que j'ai entendu un jour. Tu sais à quoi on reconnaît un ado en train de mentir ?

— Dis-moi ?

— Dès qu'il ouvre la bouche.

31

Avis et Kristin Beale partageaient la même chambre depuis un peu plus d'un an. Logiquement, parmi toutes les personnes qui côtoyaient Avis, sa camarade de chambre devait être celle qui la connaissait le mieux. Elle savait sûrement ce qu'Avis avait prévu de faire après la naissance de l'enfant.

Kristin Beale représentait donc notre meilleur espoir – peut-être même le dernier.

Dans un couloir où s'alignaient plusieurs portes en bois identiques, Conklin toqua à l'une d'elles.

— Ouais, entrez ! lança une voix.

Une forte odeur de marijuana nous accueillit sitôt le seuil franchi.

La pièce était juste assez grande pour contenir deux lits, deux armoires et deux bureaux. La fenêtre donnait sur le Presidio, et l'on apercevait une partie de la baie par-delà la cime des arbres.

Kristin Beale était adossée à la banquette installée sous la fenêtre, ses longues jambes repliées, ses pieds nus appuyés contre le mur. Elle était belle, avec une épaisse chevelure brune, et portait des leggings, une chemise d'homme et une paire d'écouteurs sur les oreilles.

Elle sursauta en nous apercevant, se redressa vivement et ôta ses écouteurs. Je notai son extrême, voire excessive, minceur.

— Qui êtes-vous ? demanda-t-elle.

Tandis que je faisais les présentations et lui exposais la raison de notre présence, un rapide examen visuel me permit de remarquer ses pupilles dilatées.

Je notai également l'état de la chambre.

On avait l'impression qu'une tornade venait de traverser son côté de la pièce. Le sol, autour du lit défait, était jonché de vêtements, de livres et de papiers de bonbons.

En face, le coin d'Avis était aussi propre et net que le bureau d'un banquier. Un oreiller brodé de la lettre A était posé sur le lit ; une photo de la famille Richardson trônait sur le bureau.

L'armoire d'Avis était ouverte. J'en dressai brièvement l'inventaire : elle possédait plusieurs tailles de vêtements, du M au XL.

Son ordinateur éteint était posé sur le bureau, intouchable sans mandat.

— Comment va Avis ? demanda Kristin d'un ton qui laissait deviner qu'elle se moquait de la réponse.

— Elle est avec ses parents. Elle va bien, mais elle a subi des choses horribles. Dis-moi, Kristin, Avis t'a-t-elle écrit ou téléphoné récemment ? Nous essayons de retrouver son bébé.

— Son bébé ? Je ne suis pas au courant de cette histoire.

— Avis était à son neuvième mois de grossesse. Tu la voyais tous les jours. À moins d'être aveugle, tu l'avais forcément remarqué.

— Il faut croire que non. C'est une bonne mangeuse, et elle ne fait jamais de sport.

Je me tournai vers Conklin :

— Vous savez quoi, inspecteur ? Je commence à en avoir marre de ces gamins qui mentent comme ils respirent.

— J'ai l'impression qu'ils ne comprennent pas bien qu'on travaille pour la brigade criminelle, répondit-il. Ils se croient peut-être au-dessus des lois parce que leurs parents sont pleins aux as ?

La fille nous dévisagea à tour de rôle avant de baisser les yeux vers un point situé sur le sol. Suivant le mouvement de ses yeux, j'aperçus le coin d'un sachet en plastique qui dépassait d'un tas de vêtements sales.

— Vous avez raison, inspecteur. Ils sont pourris gâtés. Ils vivent dans un monde à part. (Du bout du pied, je repoussai la chaussette qui dissimulait le sachet.) Un univers où ce genre de choses est autorisé. Et pourtant, même pour quelques grammes de marijuana, ils restent passibles de poursuites pour possession d'une substance illégale. En l'occurrence, vu la quantité, on pourrait même qualifier l'infraction de possession avec intention de revendre. Tu en as conscience, Kristin ?

— Elle n'est pas à moi, cette herbe. Je n'ai jamais vu ce sachet.

Je ne pus m'empêcher de rire. À cinquante centimètres de son lit, c'était la première fois qu'elle le voyait !

— Et moi je pense que cette herbe t'appartient, et qu'une analyse d'urine montrera à coup sûr que tu en as consommé.

Je glissai ma main sous ma veste pour attraper mes menottes :

— Kristin Beale, vous êtes en état d'arrestation pour possession de stupéfiants.

— Attendez, s'écria l'adolescente. Vous... Vous plaisantez, là ? Je risque de me faire virer si vous m'embarquez ! OK. Qu'est-ce que vous voulez savoir ?

— Où est l'enfant ?

— Je n'en sais rien.

— Qui est le père ?

— Je vous jure qu'Avis ne me l'a jamais dit.

— Il a pourtant bien fallu que quelqu'un la mette enceinte, intervint Conklin.

— Elle est déjà sortie avec des mecs, mais elle n'a jamais eu de petit ami régulier.

— Encore des mensonges, grognai-je. Je pense que tu nous diras la vérité une fois que tu seras au poste. Bien sûr, il va falloir qu'on prévienne tes parents.

— Je crois qu'elle sortait avec un type marié, s'écria la fille. Écoutez, je vous assure qu'elle ne m'a rien dit. Une fois, je lui ai demandé si elle était enceinte, et elle m'a répondu qu'elle ne voulait pas en parler. J'ai aussi voulu savoir si son petit copain mystère était marié, et elle m'a regardée d'une drôle de manière. Elle m'a dit que je ne devais en parler à personne. C'est tout ce que je sais. Après cette conversation, elle n'a jamais reparlé du bébé. Mais elle a peut-être abordé le sujet avec Larry Foster. Ils sont très proches, tous les deux.

32

Je laissai ma carte sur le bureau de Kristin et lui demandai de m'appeler si jamais un détail nous permettant de sauver la vie de l'enfant lui revenait en mémoire. Je jetai ensuite la marijuana dans la cuvette des toilettes situées dans le couloir, tirai la chasse d'eau, puis, tout en maugréant contre les adolescents, quittai le dortoir en compagnie de mon coéquipier.

Durant les six heures que nous avions passées à interroger les amis d'Avis, ses parents avaient tenté de me joindre à une dizaine de reprises. N'ayant rien de nouveau à leur apprendre, j'avais laissé sonner sans répondre. Mais tandis que nous regagnions le palais de justice, le numéro de Brady s'afficha sur l'écran de mon portable.

Je pris l'appel à la troisième sonnerie.

Le lieutenant semblait dans tous ses états.

— Les journalistes sont sur le coup, me dit-il. L'histoire sera à la télé d'ici quelques heures, mais elle est déjà sortie sur le câble et sur Internet.

L'appel suivant provint de Cindy.

— Pourquoi tu ne m'as pas appelée, Lindsay ? Tu m'avais promis de me tenir informée en temps réel. Tu ne t'en souviens pas ?

— Je n'ai rien, Cindy. Zéro. Nada. Les interrogatoires d'aujourd'hui n'ont rien donné.

Le téléphone de Conklin se mit à sonner sur ces entrefaites. C'était Paul Richardson, qui voulait nous prévenir que les médias affluaient en bas de leur hôtel pour réclamer une déclaration.

— Ne leur dites rien, fit Conklin. Restez dans votre chambre et demandez à l'hôtel de bloquer vos appels entrants. Utilisez uniquement votre téléphone portable.

— Les médias vont en faire des caisses avec cette histoire, m'exclamai-je.

— Qui sait ? Tout ce remue-ménage nous mènera peut-être à une piste, commenta Conklin.

— J'envie ton optimisme.

Pour ma part, j'avais déjà vu des histoires similaires partir dans tous les sens, les cartes brouillées à coups de fausses pistes distillées par des mauvais plaisants qui se faisaient une joie de nous inonder d'appels bidon, sans parler des répercussions sur les membres du jury lors du procès. « Bébé disparu » pouvait donner lieu à de nombreuses interprétations : kidnapping, trafic d'enfants, et même sorcellerie ou enlèvement par des extraterrestres. Et la situation dégénérerait un peu plus dès que les tabloïds s'empareraient du sujet.

— Ce qu'il nous faudrait, c'est un gros coup de chance, fit Conklin.

Je poussai un long soupir.

Oui, j'enviais l'optimisme de mon coéquipier. Car dans cette affaire, j'avais la sensation qu'il était trop tard pour attacher notre ceinture. Nous avions déjà percuté le mur.

33

Les camions-satellites étaient déjà garés en face du palais de justice, et les reporters avaient pris place devant l'imposant bâtiment de granit.

Tandis que Conklin se garait sur le parking d'Harriet Street, je sentis mon portable vibrer dans ma poche revolver. C'était un texto de Yuki : elle voulait me voir pour me parler de son rencard de la veille. Le message était ponctué d'une palissade de points d'exclamation.

Je lui renvoyai aussitôt un message lui disant que moi aussi, je devais la voir, et que c'était important !!!!!

Sur les coups de 18 heures, je me frayai un chemin à travers la foule compacte du *MacBain's Beers o' the World Saloon*, un pub fréquenté par les flics et les avocats, à deux pas du palais de justice. Le sol y était couvert d'épluchures de cacahuètes, les bières pression portaient des noms exotiques, et une table de billard trônait au fond de la salle. Yuki m'attendait au comptoir.

J'ouvris ma veste, dévoilant ainsi le badge accroché à ma ceinture, et me tournai vers le type assis à la droite de Yuki.

— Je n'ai rien fait, sergent. Je vous le jure ! lança-t-il en levant les mains en l'air. (Nous éclatâmes de rire tous les deux.) Félicitations pour votre mariage, ajouta-t-il.

— Merci pour le tabouret, Reynolds. (Je m'installai et me tournai vers Yuki :) Salut, ma belle. (Je lui plantai une bise sur la joue, commandai une Corona, puis embrayai sans transition :) J'ai parlé à Candace Martin hier soir.

— Tu as fait quoi ? Tu peux répéter s'il te plaît ? hurla Yuki, pourtant assise à moins de cinquante centimètres de moi.

Nous n'avions encore jamais eu de dispute, et franchement, je me sentais penaude.

Je repensai à mon procès, quelques années en arrière, lorsque je m'étais retrouvée accusée d'homicide à l'encontre d'une adolescente qui avait ouvert le feu sur Jacobi et moi.

J'avais eu beau agir en état de légitime défense, j'avais tout de même dû passer devant le tribunal. La ville de San Francisco n'avait pas pu me venir en aide. Avec cette histoire, j'avais failli perdre mon job, ma réputation et toutes mes économies, mais grâce à Yuki je m'en étais sortie. Elle avait assuré ma défense, elle s'était battue pour moi et nous avions gagné le procès. Je lui devais beaucoup.

— Phil Hoffman a insisté pour que je la rencontre. Il dit que nous nous sommes trompés de coupable.

— T'es devenue dingue ou quoi ? (Elle marqua un bref temps de pause, puis me fusilla d'une rafale de paroles :) Tu as gobé le baratin d'un avocat de la défense ? Et tu es allée interroger l'accusée dans mon dos ? Mais enfin comment tu as pu me faire ça, Lindsay ? De quel droit ? Tu te rends compte un peu ?

— Chi et McNeill sont sous mes ordres, répliquai-je en sentant mes joues s'empourprer. S'ils se sont fourvoyés en arrêtant Candace Martin, il en va de ma responsabilité.

J'aurais pu appeler Yuki plus tôt. J'aurais même *dû*. Mais d'un autre côté, elle aurait été du même avis que Brady, Chi et McNeill. Elle m'aurait dit de laisser tomber.

— Je suis seulement allée lui parler, Yuki. Rien de plus.

Yuki fit signe à la serveuse, une jeune femme maigre à la poitrine opulente répondant au prénom de Nicole.

— Une autre ! fit-elle en lui tendant sa chope de bière vide, renversant un bol de cacahuètes au passage.

— Ça fera la troisième.

— Et alors ?

— Rien, je disais ça comme ça.

— Eh bien ne dis rien, ça vaudra mieux. (Yuki pivota sur son siège pour me faire face :) Alors ? Elle t'a dit quoi ?

— Elle m'a dit qu'Ellen Lafferty avait probablement eu une liaison avec son mari. Elle pense que Dennis l'avait larguée, ou qu'elle s'était rendu compte qu'il n'accordait aucune importance à leur relation. Selon elle, ce serait elle qui lui aurait tiré dessus.

— Waouh ! En bref, « c'est pas moi, c'est l'autre » ! Tu parles d'une révélation !

Yuki était visiblement furax.

— Sa théorie a le mérite de répondre à la grande question, Yuki : qui était le mystérieux intrus ? Si Ellen Lafferty n'a pas quitté le domicile des Martin à la fin de sa journée de travail…

— Tout ça n'est qu'une invention de Phil Hoffman pour semer la confusion, me coupa Yuki. Bientôt, il nous dira que c'est le Père Noël qui est descendu par la cheminée pour venir tuer Dennis Martin. Ou qui sait, c'est peut-être Dennis Martin en personne qui a placé l'arme dans la main de sa femme, le canon pointé vers lui, et qui a pressé la détente. Ce que j'en dis, c'est que tu n'aurais pas dû fourrer ton nez là-dedans.

— C'est Paul Chi qui a mené l'enquête.

— Tout juste. Et pourquoi Hoffman ne s'est-il pas adressé à lui, à ton avis ? C'est toi qu'il est allé trouver parce qu'il sait qu'on est amies et qu'il cherche à me déstabiliser ! tempêta Yuki en abattant sa chope sur le comptoir. Si ça t'amuse de te faire mener en bateau, tant mieux pour toi, mais sache que je vais faire condamner cette femme, que ça te plaise ou non. C'est elle la coupable, Lindsay. Pas l'autre !

34

En entrant dans la salle d'audience le lendemain matin, Nick Gaines souffla à Yuki :

— Tiens, tiens. On dirait que les adorables bambins manquent à l'appel.

Yuki déposa sa mallette et jeta un regard en direction de la rangée de sièges située juste derrière le banc de la défense. Elle n'y vit que des inconnus, jeunes pour la plupart. Sûrement des étudiants en droit. Et effectivement, les enfants Martin n'étaient pas là. Ça y est, songea Yuki, ils ont produit leur effet – et auraient continué à le produire si l'intervention du petit Duncan n'avait pas provoqué la colère du juge.

LaVan déclara l'audience ouverte et demanda à Yuki si elle était prête. Elle l'était.

— J'appelle à la barre M. Felix Ashton.

Un quadragénaire, cheveux bruns et moustache, en pantalon sombre et luxueuse veste grise, s'avança pour prêter serment.

Yuki lui demanda de décliner son nom et sa profession.

— Je suis courtier, spécialisé dans l'immobilier de prestige.

— Connaissez-vous bien Candace Martin ?

— On se fréquentait depuis environ un an.

— Vous parlez bien d'une liaison amoureuse ?

— Tout à fait.

— Et comment l'avez-vous rencontrée ?

— Dennis Martin m'avait chargé d'estimer la maison que Candace et lui possédaient à parts égales. Elle m'a contacté pour me demander de lui communiquer l'information.

— Je vois, fit Yuki. (Elle jeta un rapide coup d'œil à ses notes.) Et quelle était la valeur de la maison ?

— Étant donné le quartier et l'état, excellent, je l'ai estimée à trois millions et demi au bas mot. Certains acheteurs pourraient aller jusqu'à cinq millions.

— Avez-vous rencontré Dennis Martin à plusieurs reprises ?

— Oui.

— Dans quelles circonstances ?

— Deux ou trois fois par mois, il venait au restaurant où Candace et moi dînions, et il prenait une table près de la nôtre. Il lui est aussi arrivé de venir s'asseoir à côté de nous au cinéma. Il s'amusait à suivre Candace pour la contrarier, et il profitait de ces occasions pour discuter avec moi, d'un ton que je qualifierais de sarcastique, en faisant semblant de s'adresser à un bon pote.

— Il la harcelait, en un sens. Cela rendait-il Candace furieuse ?

— Objection, s'écria Hoffman. Mlle Castellano cherche à orienter la réponse du témoin.

— Objection rejetée. Répondez à la question, monsieur Ashton.

— Dennis passait son temps à l'asticoter. Il se vantait devant nous de ses nombreuses conquêtes. Un jour, il m'a dit qu'il divorcerait de Candace si elle lui donnait ce qu'il réclamait – à savoir la maison, une pension alimentaire et la garde des enfants. Il voulait tout. Il a tout fait pour la pousser à bout et l'amener à capituler.

— Candace vous a-t-elle déjà dit qu'elle comptait accepter ses conditions ?

— Non.

— Êtes-vous amoureux du docteur Martin, monsieur Ashton ?

— Oui.

— Et elle, vous a-t-elle déclaré son amour ?

— Oui.

— Pourtant, elle ne divorçait pas de son mari ?

— C'était un sale type. S'il n'avait pas insisté pour obtenir la garde des enfants, elle l'aurait laissé tomber. Mais elle refusait de lui accorder la garde conjointe.

— Très gentil de sa part.

— Objection ! s'écria Hoffman en bondissant de son siège.

— Je retire mon commentaire, Votre Honneur, fit Yuki. Il me reste une dernière question, monsieur Ashton. Vous dites que Candace et vous étiez amoureux, mais que Dennis Martin faisait obstacle à votre idylle. Candace vous a-t-elle déjà confié qu'elle souhaitait supprimer son mari ?

— Eh bien... disons... pas au sens propre du terme.

— Oui ou non, monsieur Ashton ? Je vous rappelle que vous êtes sous serment et que nous avons votre déposition.

— Oui, elle a dit ça, mais...

— Donc, la réponse est oui. Merci, monsieur Ashton. Je n'ai pas d'autres questions, Votre Honneur.

— Souhaitez-vous interroger le témoin, monsieur Hoffman ? demanda LaVan.

Phil Hoffman se leva, boutonna sa veste, lissa sa cravate Hermès et se dirigea avec élégance vers la barre des témoins.

— Monsieur Ashton, d'après les conversations que vous pouviez avoir avec Candace, pensez-vous qu'elle s'apprêtait à tuer son mari ?

— Objection, Votre Honneur. La question amène le témoin à formuler une hypothèse.

— Rejetée. Le témoin peut répondre.

— Non. Candace n'est pas une personne violente.

— Vous avez fréquenté l'accusée pendant environ un an. Au cours de cette période, vous a-t-elle montré un pistolet, ou vous a-t-elle dit qu'elle en possédait un ?

— Non.

— Merci. Pas d'autres questions, Votre Honneur.

— Très bien. Le témoin peut se retirer, fit le juge.

35

Tâchant d'occulter sa colère grandissante envers Hoffman, Yuki concentra son attention sur Cindy Parrish, la cuisinière à demeure du couple Martin.

Ancienne mécanicienne au sein de la Navy, à présent âgée d'une cinquantaine d'années, Parrish était une femme de forte corpulence aux avant-bras ornés de tatouages fanés.

— Depuis combien de temps vivez-vous chez les Martin ? lui demanda Yuki.

— Ça fera onze ans le mois prochain. Je suis arrivée chez eux juste après la naissance de Caitlin.

— Diriez-vous, en tant que membre du foyer, que vous avez une opinion éclairée sur le couple que formaient Candace et Dennis Martin ?

— Oui, on peut dire ça.

— Alors ? Comment s'entendaient-ils ?

— Très mal.

— Madame Parrish, êtes-vous proche du docteur Martin ?

La grosse cuisinière sembla tout à coup mal à l'aise. Elle baissa les yeux vers ses mains et marmonna :

— Oui. Elle se confie souvent à moi.

— Dennis Martin voyait-il quelqu'un ? interrogea ensuite Yuki. J'entends par là, avait-il des relations sexuelles avec une autre femme que son épouse ?

— Je ne peux pas répondre à cette question.

— Vous ne pouvez pas, madame Parrish ?

— Il n'a jamais parlé d'autre chose que de nourriture avec moi, fit la cuisinière, déclenchant l'hilarité dans la salle.

Un sourire se dessina sur les lèvres de Yuki. Elle attendit que les rires s'éteignent, puis demanda :

— Candace Martin vous parlait-elle des conquêtes féminines de son mari ?

— Elle m'en parlait souvent au début, moins à la fin.

— Laissez-moi préciser ma question, madame Parrish. Candace Martin a-t-elle évoqué avec vous ce qu'elle ressentait pour son mari lors de la semaine précédant sa mort ?

— Oui. Il n'arrêtait pas de la harceler. Le soir avant sa mort, elle m'a dit qu'elle le détestait et qu'elle le tuerait si elle le pouvait. C'est ce que vous voulez me faire dire, j'imagine ?

— Je veux simplement vous faire dire la vérité.

— Ce n'était pas un mariage heureux. Ils ne se supportaient plus.

— Candace Martin a-t-elle déjà dit qu'elle aimerait tuer son mari ?

— Oui.

— Je n'ai plus de questions, Votre Honneur, fit Yuki en regagnant sa place.

— Je peux ajouter quelque chose ?

— Non, madame Parrish. C'est fini.

Phil Hoffman se leva pour contre-interroger la témoin :

— Que vouliez-vous ajouter, madame Parrish ?

— Je voulais dire que le docteur Martin est quelqu'un de bien et qu'elle adore ses enfants.

— En effet. Madame Parrish, avez-vous déjà vu une arme à feu au domicile des Martin ?

— Jamais.

— Merci. Je n'ai pas d'autres questions, Votre Honneur.

Yuki se leva et demanda à réinterroger la témoin.

— Faites, mademoiselle Castellano.

— Selon vous, madame Parrish, Candace Martin aime-t-elle ses enfants au point de tuer pour eux ?

— Objection ! protesta Hoffman. Mlle Castellano cherche à orienter la réponse du témoin.

— Accordée.

— Je retire ma question, Votre Honneur. Et j'en ai fini avec la témoin.

— N'importe qui tuerait pour ses enfants, lança la cuisinière.

— Merci, madame Parrish. Vous pouvez quitter la barre, fit LaVan.

— N'importe quel parent serait prêt à tuer pour ses enfants, répéta Parrish en marmonnant, mais assez fort pour que tout le monde entende. C'est la loi de la nature, ajouta-t-elle en se levant.

Hoffman se leva lui aussi, mais le juge l'arrêta dans son élan :

— Inutile, monsieur Hoffman. Madame Parrish, je vous rappelle que vous témoignez sous serment. Vous n'avez plus la parole. Le jury ne tiendra pas compte de cette dernière remarque.

— Il n'est pas né, celui qui me fera taire ! lâcha la cuisinière en s'éloignant d'un pas pesant. Je le répète haut et fort : n'importe qui tuerait pour ses gosses !

36

Cindy fixait son écran d'ordinateur, affolée par l'horloge qui, dans le coin supérieur droit, égrenait ses secondes dans un inexorable compte à rebours. Elle devait impérativement rendre son article à 16 heures.

Comment allait-elle faire ?

Après avoir bouclé son papier de la veille *in extremis*, elle ne savait toujours pas comment écrire son article. Les témoignages déchirants de ces femmes victimes de viols résonnaient encore dans son crâne, mais elle ne pouvait ni révéler leur identité, ni citer les propos du personnel hospitalier ou une quelconque source proche de la police, puisqu'aucune enquête n'était en cours.

Cindy avait résumé sur une feuille les faits dont elle disposait.

Les agressions avaient visé des femmes qui habitaient et travaillaient dans trois quartiers différents. Âge, profession, couleur de peau, leurs profils n'avaient par ailleurs rien de comparable. Le pire, c'était que Cindy risquait d'effrayer ses lectrices avec cette histoire terrifiante, et qu'elle n'avait pas la moindre idée de la façon dont les femmes pouvaient se protéger de ce prédateur.

Elle relut les notes qu'elle avait prises ce matin-là pendant l'interview de la dernière victime en date, Inez Fleming. À l'instar de Laura Rizzo et d'Anne Bennett, Fleming s'était réveillée près de chez elle après un black-out de plusieurs heures. Durant ce laps de temps, elle avait été violée, rhabillée à la va-vite et abandonnée dans un coin.

Fleming avait subi un examen médical à 9 heures du matin aux urgences de l'hôpital St. Francis. L'infirmière en chef avait contacté Joyce Miller pour l'informer qu'elle venait d'accueillir une femme victime d'un viol semblable à ceux subis par les femmes examinées au Metropolitan Hospital plus tôt dans la semaine.

Joyce avait contacté Cindy dans la foulée, et Cindy était allée interroger Fleming.

La première chose que Cindy avait remarquée concernant Inez Fleming, c'était qu'elle n'avait rien d'une mauviette. Pesant dans les quatre-vingt-dix kilos, Fleming exerçait la profession d'enseignante dans une école du quartier de Mission. Elle semblait du genre à ne pas s'en laisser conter, et, contrairement aux deux autres victimes, elle était mariée.

Inez expliqua à Cindy qu'elle se rappelait avoir entendu quelque chose alors qu'elle se trouvait dans une sorte d'état de rêve.

— J'ai entendu quelqu'un dire : « Aujourd'hui est un grand jour. » Je me demande de quoi il s'agissait.

Cindy aussi aurait bien aimé le savoir.

Cette réminiscence se révélait similaire aux souvenirs partiels et fragmentés des autres victimes. Tout comme Laura et Anne, Inez était incapable d'affirmer qu'il s'agissait bien d'un authentique souvenir. Ç'aurait aussi bien pu être un rêve ou une phrase entendue lorsqu'elle s'était réveillée dans la ruelle où on l'avait déposée.

Le mari d'Inez Fleming avait surgi dans la pièce à cet instant et demandé à sa femme de ne pas parler aux journalistes. À présent, six heures plus tard, Cindy éprouvait la sensation de s'enliser dans des sables mouvants pendant que le temps lui filait entre les doigts.

37

Cindy s'étira et pianota le titre de son article sur son clavier : « Droguées, violées, jetées ». Elle tapa ensuite : « Trois femmes ont subi un viol après avoir été droguées par leur agresseur. » Son téléphone sonna à cet instant. L'écran affichait le numéro de Richie.

Devait-elle répondre ou laisser le répondeur se déclencher ? Il était 15 h 23. Elle n'avait pas le temps de lui parler. Pas maintenant. Elle devait à tout prix bosser son article.

À la troisième sonnerie, elle prit l'appel.

— Je peux te rappeler plus tard, Rich ? Je suis charrette.

— Ça ne prendra qu'une seconde, lança-t-il d'un ton enjoué. J'aimerais te présenter quelqu'un d'important.

Cindy partit d'un grand éclat de rire et pivota sur son fauteuil pour ne plus voir l'horloge de son ordinateur.

— Vraiment ? Et qui donc ?

— Je ne te le dis pas pour l'instant.

— Même pas en off ?

— Laisse tomber, Cin', tu ne sauras rien.

— Tu fais ch..., Rich. Tu es où, là ?

— Dans la rue, devant le Mark Hopkins. J'attends Lindsay. Elle est avec les Richardson. Je pense qu'elle n'en a plus pour très longtemps.

Cindy se représenta Richie adossé à sa voiture banalisée, habillé en bleu comme à son habitude, ses mèches de cheveux châtain clair qui lui tombaient sur le front.

— Des nouvelles du bébé ? demanda-t-elle.

— Non, l'enquête piétine. Lindsay en fait une affaire personnelle.

— Comme tout le monde, non ?

— C'est clair. Dis, en rentrant, tout à l'heure, mets ta plus belle robe. Je passerai te chercher en voiture. Bon, je vais devoir y aller, Cin'. À plus tard.

— Attends. À quelle heure tu passes me prendre ?

— Mettons 19 heures, OK ?

— Parfait.

Cindy rédigea rapidement son article, avec la maîtrise et l'assurance qui la caractérisaient dans les moments où il n'y avait plus une seconde à perdre. En jetant un œil à l'horloge, elle se rendit compte qu'elle avait même le temps de peaufiner quelques détails. Il était 15 h 59 lorsqu'elle cliqua sur *Envoyer* avant de se renverser sur le dossier de son fauteuil. Voilà, son article serait publié le lendemain matin.

Les flics, notamment, le liraient, et peut-être aussi le violeur.

Et après, que se passerait-il ?

38

Cindy se débarrassa de ses chaussures dans l'entrée, ôta ses vêtements tout en se dirigeant vers la chambre et les déposa sur le lit. « Mets ta plus belle robe », lui avait dit Rich. Elle n'avait pas la moindre idée de ce qu'il mijotait. Où allaient-ils passer la soirée, et qui était cette personne importante qu'il tenait tant à lui présenter ?

Elle prit une douche bien chaude qui la revigora. Elle resta longtemps immobile sous le jet, mais son esprit, lui, fonctionnait à plein régime.

Elle songeait à Richie – la première fois qu'elle avait rencontré le nouveau coéquipier de Lindsay, elle avait eu plus qu'un simple coup de cœur ; elle avait senti vaciller l'univers tout entier. Oui, il était beau, mais Dieu merci, elle avait su garder suffisamment de lucidité pour se rendre compte que son physique de mannequin n'était que l'emballage du cadeau. Rich Conklin était un mec bien. Un homme intelligent, ouvert d'esprit, protecteur. Il était fait pour elle, et lui aussi était fou amoureux d'elle.

Elle devait tout de même reconnaître qu'elle l'avait soupçonné un temps d'en pincer pour Lindsay. On pouvait presque ressentir physiquement l'électricité qui circulait entre eux lorsqu'ils se retrouvaient côte à côte. Mais quand Cindy leur avait posé la question, les deux avaient juré que leur relation était stricte-ment professionnelle.

Maintenant que Richie et elle vivaient ensemble, une seule chose la préoccupait – qu'il rentre le soir, sain et sauf.

Cindy quitta la cabine de douche, se sécha les che-veux et enfila une petite robe noire au décolleté plon-geant dans laquelle Rich ne l'avait encore jamais vue. En reposant le cintre sur la tringle de l'armoire, elle se remémora l'endroit où elle vivait avant d'emména-ger avec Rich.

Son ancien immeuble était situé à la frontière entre deux quartiers, l'un en voie d'embourgeoisement, l'autre évoquant davantage l'enfer sur Terre. Mais après avoir visité l'appartement, elle s'était laissé séduire par les grandes pièces lumineuses. Peu de temps après, elle avait appris qu'une série de morts accidentelles survenues dans l'immeuble étaient en fait des meurtres.

Elle y habitait encore à l'époque où Rich et elle étaient devenus amis. Elle écrivait des articles concernant ces mystérieux crimes, sur lesquels, de leur côté, Rich et Lindsay enquêtaient. Plus tard, lorsqu'ils avaient commencé à sortir ensemble, Rich lui avait confié qu'il aurait préféré la voir travailler pour une autre rubrique que celle des affaires criminelles.

Cindy, elle aussi, aurait parfois aimé faire autre chose.

Mais la plupart du temps, elle était ravie de son poste au *Chronicle*. Le fait d'écrire des articles sur des personnages aussi dangereux, de se retrouver parfois confrontée à eux, lui avait donné confiance en elle et avait fait d'elle une meilleure journaliste.

Cindy attacha son collier composé de petits cristaux brillants, releva ses cheveux avec une barrette ornée de diamants fantaisie, puis alluma la télé pour suivre les informations. Un reporter de KWTV était en train d'interviewer une femme dont le visage avait été flouté, mais que Cindy reconnut immédiatement.

Il s'agissait de la victime qu'elle avait rencontrée dans la matinée.

Inez Fleming.

— Tout ce dont je me souviens, c'est d'être partie pour mon travail hier soir, expliquait-elle. C'est un ouvrier de la voirie qui m'a réveillée au petit matin dans une ruelle près de chez moi. J'avais encore mon sac à main et mon portefeuille. La personne qui m'a droguée et qui m'a violée a peut-être fouillé dedans et lu mon adresse sur mes papiers. Ou bien c'est quelqu'un que je connais. Tout ce que je peux dire aux femmes qui nous regardent, c'est de se méfier de tout le monde et d'être prudentes.

Cindy s'empara de la télécommande et revint en arrière pour visionner la totalité de l'interview.

Elle s'était fait doubler.

La population était au courant, mais le mystère restait entier. Qui était l'auteur de ces viols ? Comment les faits s'étaient-ils déroulés ? Les victimes avaient-elles été choisies au hasard ? Et combien de femmes cet homme allait-il encore violer avant d'être arrêté ?

Une chose était certaine : elle suivrait cette affaire jusqu'à la fin.

Le téléphone posé près du lit se mit à sonner. Elle empoigna le combiné.

— Richie ?

— Descends, chérie. Et prépare-toi à être surprise. Tu vas avoir un choc !

39

Le « rendez-vous » de Yuki était assis à côté d'elle sur une banquette du Renegade, un élégant restaurant situé dans le quartier de SoMa, en front de mer, qui jouissait d'une vue magnifique sur le Bay Bridge. Derrière eux, du sol au plafond, un gigantesque mur d'eau venait compléter le décor. L'homme lui racontait la dernière affaire sur laquelle il avait bossé avant de quitter la police de Miami. Ses longs cheveux blonds décolorés par le soleil lui retombaient sur les épaules, et elle sentait sa cuisse pressée contre la sienne.

Yuki était comme envoûtée par le son de sa voix.

— Et là, le type surgit de la banque avec des bâtons de dynamite scotchés sur le ventre, un sac jeté sur l'épaule. Il monte dans sa Chevrolet, il met le contact... et il fonce dans la voiture de devant.

— Arrête !

— Je te jure que c'est vrai, fit Jackson Brady. En plein dans le coffre d'une Honda ! Il a aussitôt fait marche arrière et il s'est éloigné, mais le conducteur de la Honda avait eu le temps de voir son visage et de relever une partie de la plaque. Du coup, il a appelé les flics.

— Coup de bol !

— Pendant ce temps, la guichetière a donné l'alarme et plusieurs voitures se sont lancées à la poursuite de la Chevrolet. Ils l'ont retrouvée abandonnée dans un canal un peu plus loin. Les soi-disant bâtons de dynamite étaient posés sur le siège passager. Il s'agissait en fait de simples morceaux de bois peints en rouge. En tout cas, le type s'était fait la malle avec quatre mille dollars, mais les flics avaient sa plaque d'immatriculation, son nom et son adresse. Il s'appelait Timberland Carson et il était déjà recherché pour vol à main armée dans une épicerie.

Brady s'interrompit pour boire une gorgée de bière.

— Ne t'arrête pas maintenant ! le supplia Yuki tout en sirotant son verre.

Elle ne faisait réellement que le siroter. Son cocktail était délicieux, mais elle ne tenait pas à se retrouver à moitié ivre pour son deuxième rendez-vous de la semaine avec Jackson Brady.

— C'est à partir de là qu'on m'a mis sur l'affaire, parce que j'étais chargé de l'enquête sur l'attaque de l'épicerie, poursuivit Jackson. On s'est rendus à l'appartement de Carson, on a frappé à la porte : « Police de Miami ! Ouvrez, monsieur Carson ! »

» Carson nous a ouvert : « Oh, vous avez déjà retrouvé ma voiture ? J'allais justement déclarer qu'on me l'avait volée. »

Il éclata de rire et Yuki se joignit à lui. Brady savait raconter les histoires et imitait les voix à la perfection.

— À ce moment-là, reprit-il, j'ai aperçu le trousseau de clés avec le logo Chevrolet posé sur un meuble. Je lui ai demandé s'il était seul et il m'a répondu que oui, alors on est entrés. Il n'avait pas tellement le choix, c'était censé être lui la victime. Aussitôt, ma coéquipière l'a plaqué contre le mur en lui expliquant qu'il était en état d'arrestation pour le braquage de l'épicerie. Elle lui a passé les menottes, et pendant ce temps-là, j'ai cherché le sac rempli de billets. Au premier abord, je n'ai rien vu, et puis je me suis rendu compte que la porte de la chambre était verrouillée. Je l'ai enfoncée d'un coup d'épaule, et là, je suis tombé sur le coloc' de Carson – pourtant censé être absent – qui a bondi pour se mettre à l'abri entre le mur et le bord du lit.

— Coucou !

— Exactement. Salut, coloc' ! Et sur le lit, j'ai vu une valise remplie de flingues et de couteaux, un vrai stand de marché aux puces !

— Tu as sorti ton arme ?

— Oui. J'ai braqué le type en beuglant : « Sors de là, mains en l'air ! » Tu vois le genre ? « Fais pas le con ! » Le mec a extirpé un semi-automatique et s'est mis à gueuler, « Je peux te buter ! Je peux même vous buter tous les deux si vous me laissez pas foutre le camp ». Moi, j'ai continué à hurler : « Pose ton arme, pose ton arme ! » Mais cet abruti a ouvert le feu. Il a tiré vers la porte, et une balle est venue se loger dans l'oreille de Carson.

— Merde ! Tu as fait quoi ? Tu lui as tiré dessus ?

— Exactement. Je n'avais pas tellement le choix.

— Et bilan : deux morts.

— Excuse-moi... Je dois te bassiner avec mes histoires de guerre.

— Ça ne me dérange pas. J'aime bien les entendre, tes « histoires de guerre ».

— Vraiment ? Parce qu'il paraît que ce qu'on aime chez une personne qu'on vient de rencontrer, c'est justement ce qu'on finit par détester au bout d'un moment.

Yuki partit d'un grand éclat de rire :

— Je ne m'inquiète pas pour ça. (Elle s'interrompit une seconde, puis ajouta :) Tu voulais que je sache que tu as tué un homme. Pourquoi ?

Brady hocha la tête, ses mains jointes posées sur la table.

— Après l'enquête de la police des polices, j'ai eu envie de quitter Miami. Je tenais à ce que tu le saches. Je compte bien rester à San Francisco.

Le serveur s'approcha d'eux à cet instant :

— Votre table est prête.

Yuki le suivit jusqu'à la mezzanine, avec sa vue sur le pont illuminé, la promenade et *Cupid's Span*, une gigantesque sculpture représentant un arc et une flèche enfoncés dans le sol.

Brady fermait la marche, et elle aimait le savoir en train de monter l'escalier derrière elle.

Pourtant, quelque chose la tracassait. Ce n'était pas le fait que Brady ait tué un homme. Non, ce qui l'inquiétait, c'était d'avoir à expliquer à Lindsay qu'elle sortait avec son supérieur.

40

Cindy se posta devant la fenêtre donnant sur Kirkham Street et vit une élégante limousine noire se garer en bas du modeste immeuble de trois étages où Richie et elle habitaient.

Le bâtiment n'hébergeant ni célébrités ni milliardaires, elle se dit que cette arrivée inattendue risquait de réserver des surprises. Le chauffeur descendit du véhicule et se dirigea vers la porte.

La sonnerie de l'interphone retentit dans l'entrée. « Il a dû se tromper de numéro », songea Cindy en décrochant le combiné.

— Oui ?

— Mademoiselle Thomas ? Votre voiture est en bas.

— Ma voiture ?

— Vous êtes bien Cindy Thomas ?

— Très bien. J'arrive.

Cindy enfila son plus beau manteau – noir, en laine et cachemire, avec des boutons de style ancien – et descendit les trois étages en trombe. Rich l'attendait à côté de la limousine, un énorme bouquet de roses rouges à la main.

Il avait revêtu un costume bleu magnifique. Le bleu, sa seule couleur. Il portait également une chemise blanche amidonnée et une cravate à rayures bleues et grises. Cindy mit plusieurs secondes à le reconnaître.

— Tu es splendide, fit Rich lorsqu'elle fut assez proche pour distinguer une petite coupure de rasoir sur sa joue.

— Eh ! Tu m'as volé ma réplique ! retourna-t-elle avant de se jeter dans ses bras.

Ils s'embrassèrent longuement, puis Rich lança en riant :

— Je t'invite à me suivre dans notre chambre privée.

— Où allons-nous ? demanda Cindy lorsqu'ils se furent installés à l'arrière de la limousine. Et qui est cette mystérieuse personne dont tu m'as parlé ?

— Je ne te dirai rien, répondit Rich.

Cindy lui donna une pichenette sur le bras tandis que la voiture s'engageait dans Oak Street. Ils longèrent le *panhandle* – surnom donné à la longue bande arborée qui s'étend depuis le Golden Gate Park –, puis tournèrent dans Van Ness Avenue et passèrent devant le City Hall en direction de California Street.

— De temps en temps, j'aime bien garder mes petits secrets, ajouta-t-il.

— J'avoue que tu as réussi à attiser ma curiosité. Je ne sais vraiment pas à quoi m'attendre.

Et Cindy n'avait toujours aucune idée de la surprise qu'il lui avait préparée lorsque la limousine s'arrêta devant la Grace Cathedral.

La Grace Cathedral était un remarquable édifice de style gothique, dont la longue histoire remontait au tremblement de terre et à l'incendie de 1906, à la suite duquel elle avait été reconstruite.

Cindy était souvent passée devant, émerveillée à chaque fois par la vision de ces arches démesurées, de ces flèches immenses, par les Portes du Paradis, copiées à l'identique des originales, réalisées à Florence par Ghiberti.

En voyant cette cathédrale, on ne pouvait faire autrement qu'avoir une pensée pour le Tout-Puissant.

Même si Cindy n'était pas certaine de croire en Dieu, les églises ne la laissaient jamais indifférente. Il ne s'agissait pas seulement d'un lieu de culte, mais d'un élément symbolisant l'histoire des hommes, les générations qui se succédaient depuis la naissance jusqu'à la mort.

Muette et tremblant d'émotion, elle gravit les marches et franchit le seuil au bras de Rich. Ils traversèrent le labyrinthe qui ornait le sol en pierre. Parvenue à la nef, Cindy sentit son regard attiré par l'éclat des vitraux et des peintures murales.

Elle retint son souffle.

Elle savait que quelque chose d'important allait se produire. Quelque chose de capital. Mais quoi ?

41

Rich sentait son cœur cogner dans sa poitrine tandis qu'il remontait l'allée centrale au côté de Cindy, fasciné comme à chaque fois par l'imposant plafond voûté et le crucifix en or qui se dressait derrière l'autel.

Les yeux levés vers lui, Cindy lui pressait la main si fort qu'il commençait à avoir des fourmillements. C'était la première fois depuis leur rencontre qu'il la voyait rester sans voix.

— Qu'est-ce que..., bredouilla-t-elle.

Mais à cet instant, elle dérapa sur ses talons hauts et il dut la rattraper en lui agrippant le bras. Un sourire illumina son visage et il se retint pour ne pas exploser de rire.

— Tu n'es vraiment pas sortable, lâcha-t-il sur le ton de l'humour.

— Non, vraiment pas, fit-elle en lui rendant son sourire.

L'autel semblait lointain, tout au bout de l'immense allée flanquée de centaines de rangées de chaises – vides pour la plupart. Le rythme cardiaque de Richie augmenta d'un cran. Il avait la bouche sèche. Jamais au cours de sa vie il ne s'était senti plus déterminé.

Des images de Cindy lui vinrent à l'esprit : la première fois qu'il l'avait rencontrée avec Lindsay, ses grands yeux interrogatifs, ses deux incisives qui se chevauchaient légèrement et rendaient son sourire si craquant, si délicieux. Son joli visage encadré par ses longs cheveux blonds et bouclés. Il la contempla d'un regard appréciateur. Elle était si belle.

Sa Cindy. La femme dont il se sentait le plus proche.

Il se remémora l'époque où elle était presque devenue le troisième flic au sein de l'équipe qu'il formait avec Lindsay, lors de l'enquête sur la série de crimes survenus dans son immeuble.

Il avait appris à mieux la connaître.

Elle pouvait se montrer incroyablement courageuse face au danger. Même confrontée à la peur, elle était capable de repousser ses limites, et il l'admirait pour ces qualités. Mais cet aspect de sa personnalité lui procurait aussi de l'inquiétude.

Ils parvinrent enfin au pied de l'autel.

Le diacre leur sourit, esquissa presque un clin d'œil puis disparut dans l'obscurité ; ils se retrouvèrent seuls.

— Alors ? fit Cindy. Qui sommes-nous censés rencontrer ?

— Eh bien... j'espère que cette personne est ton futur mari. Que dirais-tu de m'épouser, ici même, dans cette cathédrale ?

— C'est une demande en mariage, Richie ?

Richie posa un genou à terre et déclara :

— Tout ce que je sais, c'est que je veux passer le reste de ma vie à apprendre à mieux te connaître et à t'aimer tous les jours un peu plus. Veux-tu devenir ma femme ?

Il sortit de sa poche une petite boîte tendue de velours et ouvrit le couvercle, dévoilant la bague de fiançailles de sa mère ornée d'un diamant. Elle la lui avait donnée en disant : « Un jour, tu l'offriras à l'élue de ton cœur. »

Cindy contempla la bague et plongea son regard dans celui de Richie.

— Oui, répondit-elle. Je crois bien que oui.

Elle ponctua sa phrase d'un grand éclat de rire, tendit son annulaire, et sa main tremblait si fort que ce fut un exploit pour Rich de parvenir à lui mettre la bague.

— Un premier obstacle de franchi ! s'exclama-t-il.

— Je ne savais pas que tu pouvais être aussi drôle, fit-elle en lui prenant la main pour l'aider à se relever. (Elle se blottit au creux de ses bras.) Je t'aime comme une dingue, Rich, lui glissa-t-elle à l'oreille. Et ce que je te dis là est tout ce qu'il y a de plus officiel. Je suis honorée que tu veuilles me prendre pour épouse.

— Tu avais déjà préparé ta réponse ?

— Peut-être, oui. Parce que c'est exactement ce que je ressens.

— Merci d'accepter, fit Conklin en la prenant dans ses bras.

Ils échangèrent un long baiser et les paroissiens assis au premier rang se mirent à applaudir, un bruit qui se répercuta en écho sur les murs de pierre, comme un millier de colombes s'envolant à tire-d'aile.

42

Joe était en voyage à Los Angeles, où il devait effectuer une visite d'inspection du port, et ne savait pas trop quand il rentrerait.

J'allai courir avec Martha le long de Lake Street, depuis le temple Emanu-El jusqu'à Sea Cliff, dans un sens puis dans l'autre, mon regard s'arrêtant sur chaque berline de couleur sombre que je croisais sur ma route. Je ne pouvais m'empêcher de penser au bébé d'Avis Richardson. Après avoir foulé le trottoir sur presque cinq kilomètres, épuisée, je décidai de rentrer.

Notre appartement était plongé dans l'obscurité lorsque j'ouvris la porte, trempée de sueur et à bout de souffle.

J'allumai plusieurs lampes, pris une bonne douche, puis me servis un verre de chardonnay et m'attelai à la préparation du dîner en regardant la télévision. À l'écran, Chris Matthews pilotait un débat politique tandis que je réchauffais le jambalaya que Joe avait cuisiné quelques jours plus tôt. La sonnerie du téléphone retentit à cet instant.

Il fallait toujours qu'il se manifeste, celui-là !

Un mois auparavant, j'avais pris la décision de ne plus prendre aucun appel pendant quelque temps – aussi bien sur la ligne fixe que sur mon portable. C'est ainsi que j'avais raté un coup de fil qui aurait pu changer ma vie.

Jacobi m'avait téléphoné à quatre reprises pour m'informer qu'il allait être promu au rang de capitaine ; il me proposait de reprendre son poste. Le temps que j'écoute ses messages, le job avait été provisoirement proposé à Brady, et j'y avais vu un signe : c'était à lui de prendre la place laissée vacante par Jacobi.

Je n'y voyais d'ailleurs aucun inconvénient. J'aimais mettre les mains dans le cambouis, et en cela, travailler sur le terrain au sein de la brigade criminelle se révélait idéal. C'était épuisant, difficilement compatible avec une vie de couple, mais comme pour mon père avant moi, l'appel de la rue était le plus fort.

Jackson Brady, de son côté, était un ambitieux. Ses états de service étaient excellents, et je savais qu'il incarnait l'avenir du SFPD.

J'avais fait le bon choix en m'effaçant, mais je me montrais désormais prudente lorsque le téléphone se mettait à sonner.

Je jetai un œil à l'écran digital du combiné sans fil posé sur le comptoir de la cuisine. C'était le numéro de Cindy qui s'affichait. Je décidai de prendre l'appel.

— Je vais me marier ! hurla-t-elle dans mon oreille.

— Quoi ? Tu peux répéter ?

— Richie et moi, on va se marier ! Il vient de me faire sa demande.

— Eh ! Félicitations, Cindy ! C'est une super nouvelle, m'écriai-je, partagée entre la joie et la crainte que Cindy ne recueille au quotidien un peu trop d'informations auprès de mon coéquipier.

Et, pour être honnête, je regrettais un peu l'époque où je figurais en première place sur la liste des numéros favoris de Richie.

Cette pensée égoïste s'estompa tandis que Cindy me racontait d'une voix surexcitée comment Richie, genou à terre, lui avait fait sa demande au beau milieu de la Grace Cathedral. Elle me décrivit la bague qu'il lui avait offerte et me fit part du bonheur qui la submergeait.

— Tu peux me passer Rich ? J'aimerais le féliciter lui aussi.

— Il est en ligne avec son père. Je lui dirai de te rappeler. Oh, j'ai un double appel. C'est ma mère.

— Vas-y, réponds. Je suis vraiment heureuse pour vous.

Je zappai sur un match de baseball et dînai en assistant en direct au massacre de l'équipe visiteuse. Le téléphone sonna à nouveau.

C'était Yuki. Que voulait-elle ?

— Je te dérange, Linds ?

Yuki s'était montrée assez froide avec moi depuis que je lui avais parlé de mon entrevue avec Candace Martin, deux jours plus tôt, et j'espérais que cet appel allait permettre de désamorcer la situation.

— Pas du tout. Je t'écoute.

— Je voulais te dire quelque chose l'autre soir, mais

la conversation a dérivé. Je ne sais pas trop comment tu vas le prendre.

— Tu peux tout me dire, Yuki.

— OK. En fait, c'est à propos de Brady.

— Eh bien ?

— Il m'a invitée à dîner l'autre soir, et j'ai accepté. On s'est même revus une deuxième fois. Ça s'est super bien passé et... on sort ensemble.

Je retins mon souffle et pressai le combiné contre mon oreille, dans l'attente d'un nouveau choc.

— Linds ?

— Jackson Brady ? Tu te fous de moi ? Dis-moi que c'est une blague.

— Je m'entends vraiment bien avec lui, Linds. Et je tenais à ce que tu l'apprennes directement de ma bouche.

Je pensais que Yuki pouvait tout me dire, mais je me trompais. Cette nouvelle était un choc, et je ne savais pas comment expliquer à mon amie la raison pour laquelle cette annonce me rendait aussi mal à l'aise.

— Lindsay ? Tu es toujours là ?

— Il faut que je te prévienne, Yuki. Je me suis renseignée sur Brady quand il a intégré la brigade : il est marié. Tu le savais ?

DEUXIÈME PARTIE

MENSONGE SUR MENSONGE

43

Ce dimanche-là, je comptais bien me la couler douce.

J'avais commandé des œufs et des pommes de terre sautées chez Louis, un restaurant construit en 1937 sur Point Lobos Avenue, face à l'océan.

L'endroit attirait un grand nombre de touristes, mais restait très fréquenté par les gens du quartier, en particulier à cette heure matinale, qui voyait défiler son lot de joggeurs et de promeneurs venus du chemin côtier qui traversait le parc de Lands End tout proche. Plusieurs clients, installés au comptoir, lisaient tranquillement le journal dans leur coin.

Je laissai échapper un soupir de contentement.

Depuis ma place, je jouissais d'une vue magnifique sur les ruines des Sutro Baths, et je pouvais également surveiller Martha, assise sur le siège conducteur de mon Explorer. Avant de venir chez Louis, nous avions fait une halte à Crissy Field pour qu'elle puisse courir sur la plage et patauger un peu dans les vagues.

— Attention, c'est très chaud, me prévint la serveuse en déposant mon assiette sur la table.

Elle me resservit une grande tasse de café.

— Merci. Ça a l'air délicieux.

Mon portable se mit à sonner au moment où je m'apprêtais à enfourner la première bouchée. Qu'avais-je donc fait pour devenir une personne aussi demandée ? Je baissai les yeux vers l'écran, mais le nom qui s'affichait m'était inconnu. Qui était ce W. Steihl ?

Devais-je répondre ou laisser le répondeur se déclencher ?

D'un geste vif, je m'emparai d'une pièce de monnaie et tirai la décision à pile ou face. Face. Perdu.

— Boxer, j'écoute ? fis-je en soupirant.

— Sergent Boxer ? Wilhelmina Steihl à l'appareil. On s'est rencontrées à Brighton l'autre jour.

Je me souvenais d'elle. Willy Steihl était une camarade de classe d'Avis Richardson. Longs cheveux noirs qui lui tombaient sur les épaules, lunettes à monture d'acier, lèvres peintes d'un rouge vif.

Je me rappelais également à quel point elle s'était montrée réticente à répondre à nos questions, mais au son de sa voix, je sentis qu'elle avait quelque chose d'urgent à m'apprendre.

— Je ne pouvais rien vous dire l'autre jour, m'expliqua-t-elle. Les gens auraient compris que c'était moi la moucharde.

— Tu peux me parler en toute confiance, répondis-je. Tu sais où se trouve le bébé d'Avis ?

— Non, non. Je n'en ai aucune idée. En fait, je suis une amie de Larry Foster. C'est lui qui m'a conseillé de vous appeler. Vous êtes à proximité d'un ordinateur ?

— Non, mais mon téléphone peut faire office. Qu'est-ce que je dois chercher ?

— J'aimerais vous montrer des photos sur Facebook, mais je ne veux pas vous donner mon mot de passe.

Cette gamine se souciait de son mot de passe alors qu'elle pouvait le modifier en quelques secondes ! Pour autant, je préférais ne pas la brusquer. Willy était mineure. Elle n'était pas tenue de me parler.

— Je pourrais venir te voir au pensionnat ? proposai-je.

Je fis signe à la serveuse de m'apporter l'addition.

— Surtout pas. Je ne veux pas être vue avec vous.

Je réprimai un grognement et lui demandai de me retrouver à l'entrée du 850, Bryant Street, dans une heure.

— J'y serai.

Cette jeune fille allait-elle m'aider à retrouver le bébé d'Avis, ou bien cette nouvelle piste allait-elle déboucher sur une impasse ?

Je déposai un billet de dix sur la table et quittai le restaurant, la faim au ventre.

44

Il était tout juste 10 heures. Le ciel était couvert et la température extérieure de dix-huit degrés. Je baissai un peu la vitre pour que Martha ait un peu d'air et quittai ma voiture pour me diriger vers le palais de justice.

Ne voyant nulle trace de Willy Steihl, je me postai dans un coin pour attendre, tapant impatiemment du pied en regardant défiler les voitures. La circulation se révélait relativement dense, même pour un dimanche.

Dix minutes plus tard, un taxi s'arrêta le long du trottoir. Je m'avançai pour aller ouvrir la portière à la jeune Willy Steihl. Elle me salua tout en maintenant entre elle et moi une distance de deux bons mètres, puis me suivit dans le hall du palais au sol recouvert de marbre rouge.

Willy ôta sa ceinture, la déposa dans le panier et franchit le portique de sécurité. Je passai mon badge puis conduisis la fille aux cheveux noirs, aux vêtements noirs et à l'air farouche, jusqu'aux locaux de la brigade, où l'équipe du soir était en poste.

Je demandai au sergent Bob Nardone l'autorisation d'utiliser son bureau.

— Bien sûr, Boxer. Et je fais quoi pendant ce temps-là ? Je travaille sur mon ordinateur imaginaire ?

— Allez, Nardone, bouge tes fesses ! Prends une

pause. Va boire un café. Je n'en ai pas pour longtemps.

Je réquisitionnai son fauteuil, et Willy Steihl resta
debout à côté de moi pendant que j'ouvrais ma ses-
sion. Je lui cédai ensuite ma place pour lui permettre
d'entrer ses codes d'accès.

Penchée au-dessus du clavier, elle tapa son identi-
fiant et son mot de passe, puis déclara :

— Une petite seconde, le temps que j'ouvre le dossier dont je vous ai parlé tout à l'heure.

Je tambourinai des doigts sur le bureau pendant
qu'elle pianotait sur le clavier.

— Voilà, dit-elle au bout d'un moment.

L'écran affichait une photo prise lors d'un match
de football. Sur le terrain, les joueurs étaient en
action, et, dans les gradins, les supporters donnaient
de la voix. Rien que de très ordinaire.

— Vous voyez ? fit Willy. C'était durant une rencontre avec les Warriors. Je prenais des photos de
Larry.

Elle zooma sur les spectateurs et je reconnus Avis
Richardson de profil, en pantalon de jogging et sweat-
shirt qui dissimulaient efficacement sa grossesse. Elle
se tenait tout près d'un homme de grande taille, le
genre beau et ténébreux, qui, à mon sens, n'avait rien
d'un étudiant.

Willy cliqua sur la souris et une nouvelle photo
s'afficha, puis une autre, et, à chaque nouvelle image,
elle effectua un zoom sur Avis Richardson. Sur
l'une d'elles, on voyait l'adolescente tenir la main de
l'homme.

— Qui est-ce ? demandai-je à Willy.

— M. Ritter, un prof de littérature.

— Et selon toi, Willy ? Dis-moi ce que tu soupçonnes ?

La fille se tortilla sur son siège.

— Ne me fais pas perdre mon temps, s'il te plaît.

Je l'aurais bien prise par les épaules pour la secouer un bon coup, mais elle se décida avant que j'en sois réduite à cette extrémité.

— Tout le monde savait que Ritter et Avis étaient proches. Elle avait des super notes en litté, alors soit c'était son étudiante préférée, soit ils étaient vraiment *très* proches. Vous voyez ce que je veux dire ? Avis a menti quand elle vous a dit qu'elle sortait avec Larry Foster. Je le sais, parce que c'est moi qui sors avec lui.

45

Willy Steihl venait de lâcher une véritable bombe.

Ses informations m'amenaient à envisager une relation amoureuse entre une jeune fille de quinze ans et son prof de littérature. Comment qualifier cela ? Il s'agissait tout bonnement d'un détournement de mineure, un crime passible d'une peine de prison si Ritter était reconnu coupable devant un tribunal. Et

s'il était de surcroît impliqué dans la mort d'un nouveau-né, il finirait sa vie derrière les barreaux.

— Hormis ces photos, as-tu d'autres preuves de
leur relation ? demandai-je à Willy. Avis t'a déjà parlé
de M. Ritter ? Tu les as déjà vus seuls tous les deux ?

Willy haussa les épaules, puis répondit par un
hochement de tête négatif. On avait l'impression
qu'elle souhaitait disparaître derrière le dossier de son
fauteuil.

— Écoute-moi bien, Willy. Ton témoignage revêt
une importance capitale. Il s'agit d'une affaire extrêmement sérieuse. D'après toi, M. Ritter peut-il être le
père du bébé d'Avis ?

— Je n'en sais rien. Tout ce que je voulais, c'était
vous montrer les photos. Les conclusions, c'est à vous
de les tirer.

— Un bébé a disparu, Willy. Essaie un instant
d'imaginer ce qu'Avis peut ressentir. Et pense à ses
parents. Pour eux aussi, c'est une épreuve terrible. Ce
bébé est sans défense. Il est peut-être tout seul à l'heure
qu'il est, entre la vie et la mort. Si tu sais quelque chose
qui peut nous aider à le retrouver, tu dois m'en parler.
C'est même une obligation. En refusant de parler, tu
pourrais te rendre complice d'un crime.

— J'aurais mieux fait de ne pas venir, lança l'adolescente. (Elle se leva précipitamment et enfila son
sac à dos.) Je ne suis au courant de rien. Je n'ai plus
rien à faire ici.

J'avais manqué de subtilité en la brusquant de la
sorte. Pour la millième fois, je regrettai de ne pas
posséder ne fût-ce qu'un dixième du tact de Conklin.
Je proposai à Willy de la raccompagner à Brighton.

— Je préfère prendre un taxi, me répondit-elle. Ne dites à personne que je suis venue vous voir, OK ?

— Je verrai.

Elle me dévisagea comme si elle craignait que je lui plante mes dents dans le cou, puis quitta la salle de la brigade sans même prendre le temps de se déconnecter de son compte Facebook.

Aussitôt, le sergent Nardone fondit sur le bureau comme un rapace. Je lui demandai de m'accorder quelques secondes supplémentaires. L'occasion était trop belle de rechercher de nouveaux indices.

Après avoir fouiné un instant, je tombai sur d'autres photos de Ritter, sur les comptes de Willy et ceux de ses amis.

Il apparaissait fréquemment dans les commentaires et semblait très apprécié de la gent féminine. Beaucoup évoquaient sa beauté, son allure, et spéculaient sur ses performances sexuelles.

Je cliquai sur le lien menant à la page d'accueil d'Avis Richardson. J'avais déjà visité sa page Facebook, mais cette fois, j'avais un but bien précis. J'étudiai attentivement les photos de l'adolescente prenant la pose avec Larry Foster et ses amies, au cours de soirées ou lors de matchs de foot, mais Jordan Ritter ne figurait sur aucun de ces clichés.

Je copiai un maximum d'informations, les envoyai sur mon e-mail, puis j'éteignis l'ordinateur et rendis son fauteuil à mon collègue.

— Merci, Nardone. Tu es un chic type.

— Je ne te le fais pas dire, Boxer. Au fait, j'ai mangé le paquet de Cheetos que tu gardais dans le tiroir du bas.

— Je l'aurais parié ! m'exclamai-je en désignant les traces orange qu'il avait laissées sur la poignée.

— Tu aurais dû être flic ! s'esclaffa Nardone.

Je tentai de contacter Richie à plusieurs reprises, mais tombai à chaque fois sur son répondeur. Je finis par laisser un message : « Je tiens une piste, Rich. Rappelle-moi. »

J'appelai ensuite Jordan Ritter pour lui expliquer que j'enquêtais sur l'enlèvement dont Avis avait été victime. J'espérais qu'il pourrait me fournir des éléments m'aidant à mieux appréhender sa personnalité.

— Je ne la connais pas très bien, me dit-il, mais je serai bien sûr ravi de vous aider.

L'homme habitait à quelques rues de la Brighton Academy. Je rentrai chez moi pour déposer Martha, puis me dirigeai vers l'est via California Street.

Il était encore tôt dans l'après-midi lorsque je me garai dans un quartier résidentiel plutôt cossu, au croisement de Broderick et de Pine Street. Ritter vivait dans un petit immeuble pimpant de style italien, à la façade ocre agrémentée de bay-windows.

Son appartement était situé au rez-de-chaussée.

Je pressai le bouton de l'interphone et m'annonçai. Quelques secondes plus tard, j'entendis les pas de Ritter se rapprocher de l'autre côté de la porte.

46

Jordan Ritter ouvrit la porte de son appartement, s'appuya d'une main contre le jambage et me dévisagea longuement.

Je fis de même.

Âgé d'une petite trentaine d'années, mince et athlétique, il arborait une barbe de trois jours, une chevelure sur laquelle la calvitie n'avait pas encore commencé son travail de sape, et une denture parfaite. Il portait un t-shirt et un pantalon de jogging semblable à celui que portait Avis sur le cliché que m'avait montré Willy Steihl.

S'agissait-il d'une nouvelle tendance vestimentaire, d'une simple coïncidence, ou bien Avis le lui avait-elle emprunté le jour où la photo avait été prise ?

— Bonjour, vous, susurra-t-il.

Je n'en revenais pas. Cet enfoiré avait le culot de me draguer !

— Monsieur Ritter ? Je suis le sergent Boxer, lançai-je d'un ton sec en lui présentant mon badge.

— Entrez, sergent. Vous voulez un café ? Je viens justement d'en préparer.

— Bien sûr, répondis-je en pénétrant dans l'appartement.

L'endroit avait quelque chose d'artificiel, comme s'il l'avait loué meublé ou qu'il avait acheté tous ses meubles le même jour dans une grande surface. Je le suivis à travers le salon, remarquant au passage le journal du dimanche et les deux tasses de café posés sur la table basse, face au canapé.

N'importe quel fan de séries policières aurait pu deviner que Ritter avait reçu quelqu'un pour la nuit. Ou alors, il avait mis en place ce stratagème pour m'amener à le croire.

— Vous le prenez avec de la crème et du sucre, sergent ?

— Noir, ça ira très bien.

— Comme je vous l'ai dit au téléphone, je ne connais pas très bien Avis. Elle fait partie de mes élèves cette année. Ses notes sont excellentes, mais à part ça, j'avoue ne pas avoir grand-chose à vous dire.

Nous retournâmes au salon et je pris place dans un fauteuil qui faisait face à celui dans lequel il s'affala.

— C'est faux, monsieur Ritter, et je pense que nous le savons tous les deux.

Ritter partit d'un grand éclat de rire.

— Vous m'accusez de mentir ? Mince alors ! Ce n'est pas très poli de votre part.

— Allons droit au but, si vous le voulez bien ? Comme ça, je pourrai rentrer chez moi, et vous pourrez finir tranquillement votre week-end. Quelle est la nature de la relation que vous entretenez avec Avis Richardson ? Des témoins affirment que vous êtes très proches.

— Voyons, sergent ! Je ne compte plus les élèves qui ont le béguin pour moi. Flasher sur son prof, pour une ado, c'est chose courante, vous savez. Mais pour vous dire la vérité, je n'avais rien remarqué concernant Avis.

— J'ai vu des photos qui prouvent le contraire.

— Des photos ? Quelles photos ? Ah, je vois... Willy Steihl est venue vous parler ! Voyez-vous, sergent, cette fille est maladivement jalouse. Elle me harcèle depuis le début de l'année.

— Ah oui, vraiment ?

— Oui, vraiment. Vous ne trouverez aucune photo compromettante d'Avis et moi, pour la simple et bonne raison que je la connais à peine. Autre chose ?

— Oui. Au cas où nous retrouverions le bébé, j'aimerais pouvoir établir que vous n'êtes pas le père. (Je sortis de ma poche un kit de frottis buccal.) Ceci va me permettre de prélever un échantillon de salive. Ça ne prendra qu'une seconde.

— Hors de question, sergent. Si je suis considéré comme suspect, dans ce cas, prenez contact avec mon père. Vous trouverez son numéro dans l'annuaire des avocats.

— Je note que vous refusez de collaborer. Bien, j'en ai fini pour le moment.

— Merci d'être passée, sergent.

Je déposai ma carte sur la table basse entre les deux tasses de café et quittai l'appartement. Je m'étais à peine installée au volant de ma voiture que mon téléphone se mit à sonner. C'était Rich.

— Salut, Rich.

— Saluuut, chantonna-t-il à l'autre bout du fil.

— Félicitations, coéquipier. Maintenant, il va falloir assurer.

Il me remercia, déclara qu'il était l'homme le plus heureux du monde, et dès que je pus en placer une, je lui racontai les événements de la matinée.

— Tu soupçonnes Ritter de l'avoir mise enceinte ?

— J'ai une photo prise sur la page Facebook de Willy Steihl où on les voit tous les deux main dans la main, ce qui signifie qu'il m'a menti. Bien sûr, on ne peut pas en déduire quoi que ce soit de définitif. Je te vois demain pour reparler de tout ça.

— Compte sur moi !

Cela faisait maintenant une semaine qu'Avis avait voyagé à l'arrière d'une berline de couleur sombre conduite par un homme à l'accent français, une virée à la destination inconnue, au terme de laquelle elle avait donné naissance à son enfant près du lac, ou dans un lit éclairé par une lampe ronde en métal.

Si le bébé était encore en vie, cela tenait du miracle.

47

— Avis n'est pas là, me dit Paul Richardson après m'avoir invitée à entrer dans sa suite.

Il me proposa un verre que je refusai poliment. Il n'était que 3 heures de l'après-midi, mais je le vis tituber en chemin vers le fauteuil où il s'effondra lourdement.

— Avis a voulu sortir pour aller voir des amis, m'expliqua Sonja Richardson. Elle nous a dit qu'elle se sentait mieux et qu'elle avait envie d'aller « traîner un peu ».

Je me demandai si, par hasard, elle ne traînait pas un peu avec Jordan Ritter juste avant mon arrivée chez ce dernier.

— Elle sera de retour pour le dîner, fit Paul. Elle tient à reprendre les cours dès demain, et *a priori*, je ne vois pas de raison de l'en empêcher.

— Il y a du nouveau, sergent ? demanda Sonja. Je vous en prie, dites-moi qu'il y a un espoir.

Bras croisés contre sa poitrine, elle semblait au bout du rouleau.

— Nous disposons de très peu d'éléments, répliquai-je. Nous n'avons trouvé aucune annonce sur Prattslist correspondant à celle à laquelle votre fille a répondu. Personnellement, je ne me l'explique pas. Et vous ?

— Avis est comme tous les adolescents, elle fabule. Je ne sais pas si on peut la croire.

— Vous a-t-elle déjà parlé de son professeur de littérature, Jordan Ritter ?

— Chéri ? lança Sonja Richardson en se tournant vers son mari. Avis t'a-t-elle déjà parlé de Jordan Ritter ?

Absorbé dans la contemplation de son verre, Paul Richardson resta coi.

— Je ne crois pas l'avoir entendue parler de lui récemment, fit Sonja. Mais je me souviens qu'au début de l'année, elle était ravie de l'avoir comme prof. Il est aussi romancier, vous savez, et Avis rêve de devenir écrivain. Pourquoi me questionnez-vous à son sujet ? Il est au courant de quelque chose ?

— Son nom est apparu au cours de l'enquête. Je l'ai rencontré. Il dit qu'il ne connaît pas très bien votre fille, et Avis dit la même chose le concernant.

— J'ai l'impression que nous allons devoir nous faire à l'idée que nous ne retrouverons jamais le bébé, fit Sonja en s'essuyant le coin de l'œil avec un mouchoir. Mais c'est difficile à admettre, sergent. Nous ne l'avons jamais vu. Nous ne savons même pas s'il est encore en vie.

De retour chez moi, au crépuscule, je vis Joe sur le pas de la porte. J'avais repéré son sourire lumineux à plusieurs dizaines de mètres. Je courus vers lui et me jetai dans ses bras. J'étais si heureuse de pouvoir me blottir contre lui.

— Viens, Joe. Allons faire un bébé.

— Je suis toujours d'attaque pour une partie de jambes en l'air, répondit-il en souriant.

48

Après avoir fait le tour de ses collègues pour exhiber sa somptueuse bague de fiançailles, Cindy s'enferma dans son bureau et se plongea dans le travail. Peu de temps après, le téléphone se mit à sonner ; elle prit l'appel tout en se connectant à la page d'accueil de son blog consacré aux affaires criminelles.

— Cindy Thomas, j'écoute ?

— Bonjour, Red Sanchez à l'appareil.

— Ray Sanchez ?

— Red. Comme la couleur. Je crois avoir vu quelque chose qui pourrait vous aider dans l'affaire du violeur en série.

— Allez-y. Que savez-vous au juste ?

Cindy ajusta son casque et son micro, et ouvrit un nouveau document Word. Elle tapa « Red Sanchez » en haut à gauche, ainsi que le numéro qui s'affichait sur l'écran digital de son téléphone.

— Vous vous souvenez de cette grosse femme qui est passée à la télé l'autre jour ?

— Tout à fait.

Sanchez voulait parler d'Inez Fleming.

— Son visage était flouté, mais je l'ai tout de suite reconnue.

— Quand l'avez-vous rencontrée ?

— Avant-hier soir. J'étais en train de promener ma chienne sur Baker Street, pas loin du croisement avec Clay Street. Sadie est vieille. Si je ne la sors pas dès qu'elle se met à couiner, je suis bon pour nettoyer la moquette et ma femme se met en pétard...

— Monsieur Sanchez ?

— Appelez-moi Red.

— Red, lorsque vous avez vu cette femme qui, selon vous, pourrait être la personne interviewée à la télé, que faisait-elle ?

— Rien. Elle était mal en point. Je veux dire, vraiment mal en point. J'ai cru qu'elle était bourrée. D'ailleurs, elle l'était peut-être. Le chauffeur la traînait à moitié vers un immeuble. Attendez, j'ai l'adresse. Ce n'est pas très loin de chez moi.

Sanchez lui communiqua une adresse sur Baker Street. C'était à quelques numéros de chez Inez Fleming, mais Cindy se rappelait que la femme s'était réveillée dans une ruelle proche de son immeuble. Elle rentra ces renseignements dans son ordinateur.

— Dites-moi, Red, vous parlez d'un chauffeur. De qui s'agissait-il ?

— Pardon, j'ai oublié de préciser que c'était un chauffeur de taxi. Il conduisait un monospace.

— Un monospace de quelle couleur ? Avez-vous remarqué des traces sur la carrosserie ? Y avait-il un numéro de téléphone inscrit sur les portières ?

— C'était un monospace jaune, comme tous les taxis. Je crois qu'il y avait une publicité sur la vitre arrière. Une affiche publicitaire pour un film. Le nom m'échappe, par contre.

— Et le chauffeur ? Vous pourriez le décrire ?

— Franchement, non. J'étais occupé à ramasser les crottes de Sadie. Je crois qu'il était brun. Je sais bien que ça ne vous avance pas à grand-chose, mais c'est tout ce dont je me souviens. Comme je vous dis, il traînait à moitié cette femme, et j'ai pensé « Mince, elle est drôlement bourrée, celle-là ». Le temps que ma chienne finisse de faire ses besoins, ils avaient disparu tous les deux.

Cindy remercia Sanchez et lui demanda de la rappeler si jamais un détail lui revenait en mémoire. Elle téléphona à Richie dans la foulée.

— Chéri ? Je crois que je tiens une piste dans l'affaire du violeur en série.

49

Ce lundi matin, Yuki quitta son bureau accompagnée de Nick Gaines et prit la direction de la salle d'audience. Elle avait insisté pour qu'ils arrivent une demi-heure en avance.

En chemin, Nick l'observa des pieds à la tête :

— Il y a quelque chose de différent chez toi ce matin.

— Que veux-tu dire ?

— Tu souris.

— Pourquoi ? Je ne souris pas d'habitude ?

— Pas avant d'entrer dans la salle d'audience. Attends, je crois savoir : tu t'es envoyée en l'air hier soir, c'est ça ?

Yuki éclata de rire :

— Pas du tout. Je viens de manger un doughnut. C'est le sucre qui me met de bonne humeur. Et arrête de te prendre pour le Mentaliste ! Bon, j'espère qu'Angela Walker va se pointer. Tu en penses quoi ? Elle t'a paru fiable ?

— J'ai eu l'impression qu'elle avait hâte de témoigner. Ça m'étonnerait vraiment qu'elle ne vienne pas.

Ils arrivèrent dans le long couloir qui desservait les salles d'audience. Au-dessus d'eux, les tubes au néon grésillaient doucement. D'un geste du menton, Yuki indiqua à Nicky une femme assise sur l'un des bancs sans dossier alignés contre le mur.

C'était Angela Walker, leur témoin surprise, en train de discuter avec un huissier.

Walker était âgée de quarante ans. Cheveux blonds coiffés en chignon, pull bleu à col échancré, blazer sombre et pantalon tailleur. Yuki espérait que son témoignage se révélerait aussi bon qu'elle était belle.

Ils entrèrent dans la salle 3B, se dirigèrent vers le banc de l'accusation et adressèrent un signe de tête à Hoffman et son assistante, Kara Battinelli, une jeune diplômée brillante tout droit sortie de Boalt Law. Cette dernière lança à Yuki un regard empreint de suffisance que Yuki lui rendit à l'identique.

Après s'être installé, Nick sortit son ordinateur et celui de Yuki.

Quelques instants plus tard, l'huissier, un homme chauve au visage dépourvu de toute expression déclara l'audience ouverte, et le juge LaVan entra dans la salle à présent pleine à craquer. Il semblait de fort mauvaise humeur. Les personnes assises dans la tribune se levèrent, puis se rassirent, provoquant un bruissement qui se répercuta en écho contre les murs lambrissés de chêne. Lorsque le silence retomba, LaVan salua les membres du jury.

— Mademoiselle Castellano, fit-il ensuite. C'est à vous.

Yuki se redressa et appela Angela Walker à la barre.

Tous les regards se portèrent sur la femme qui remontait l'allée centrale d'un pas voluptueux. Même aux yeux de Yuki, elle était belle à croquer. Walker s'installa et prêta serment.

50

— Madame Walker, connaissez-vous l'accusée, le docteur Candace Martin ?

— Je ne l'ai jamais rencontrée. Mais je sais très bien qui elle est.

— Connaissiez-vous son mari, Dennis Martin ?

— Oui. J'ai fréquenté Dennis pendant deux ans. Notre relation a pris fin environ un mois avant sa mort.

Yuki plaqua ses cheveux derrière ses oreilles :

— Par « fréquenter » Dennis Martin, vous entendez « coucher avec » ?

— Oui. Je le voyais deux à trois fois par semaine.

— Et vous saviez qu'il était marié ?

— Bien sûr. Mais il qualifiait lui-même son mariage d'imposture. Il restait avec sa femme uniquement pour les enfants.

Yuki appréciait la manière dont Walker répondait aux questions. Elle s'exprimait d'une voix calme et paraissait tout à fait crédible.

— Madame Walker, pouvez-vous expliquer à la cour la raison pour laquelle votre relation avec Dennis Martin a pris fin ?

— Il m'a annoncé qu'il voyait quelqu'un d'autre et que c'était sérieux. Il voulait mettre de l'ordre dans sa vie.

— Vous l'avez cru ?

— Oui. Dennis était un véritable chien. Un serpent. Un chacal. Un requin. Au choix.

— Où étiez-vous quand il a été tué ?

— À Sydney. J'avais voulu mettre le maximum de distance entre lui et moi.

— Madame Walker, avez-vous téléphoné au domicile des Martin pendant votre séjour en Australie ?

— Je n'en suis pas fière, mais oui, j'ai téléphoné à Candace. Et ce coup de fil est peut-être à l'origine du drame.

— Vraiment ? Pourquoi ça ?

— J'avais le cœur brisé. J'ai voulu me venger de Dennis et c'est pour ça que j'ai appelé Candace. Pour la mettre au courant de notre liaison. Je l'ai aussi prévenue qu'il voyait une autre femme.

— Connaissiez-vous l'identité de la nouvelle maîtresse de Dennis ?

— Non, je n'en avais pas la moindre idée.

— Et comment Candace Martin a-t-elle réagi à votre appel téléphonique ?

— Très froidement. Elle m'a dit : « Vous avez raison, Dennis est un animal. Un animal qu'il serait bon de faire abattre. Je devrais m'en charger moi-même, pour bien faire. »

— Merci, fit Yuki en regagnant sa place. J'en ai fini avec le témoin, Votre Honneur.

51

Phil Hoffman se leva. Il semblait frais et dispos dans son costume gris à fines rayures, l'avocat au sommet de son art.

Yuki remarqua la façon dont les jurés l'observaient. Il était clair qu'ils l'appréciaient.

— Madame Walker, vous n'aimez pas beaucoup Candace Martin, je me trompe ?

— Je ne la déteste pas. Comme je l'ai dit, je ne l'ai jamais rencontrée.

— En tout cas, vous n'éprouvez pas de sympathie particulière à son égard. Vous avez couché avec son mari pendant deux ans tout en sachant pertinemment qu'il avait un foyer, une femme et deux enfants en bas âge. N'est-ce pas ?

— Votre Honneur, M. Hoffman cherche à orienter les réponses de la témoin.

— Objection retenue. Faites attention, monsieur Hoffman.

— Désolé, Votre Honneur.

Hoffman fit tinter les pièces de monnaie dans sa poche, puis demanda :

— Éprouvez-vous de la sympathie pour l'accusée ?

— Pas vraiment, répondit Walker.

Elle se tortilla sur son siège et se lissa les cheveux.

— Pour tout dire, qu'elle soit vivante ou morte vous importe peu. Oh, pardon. Je vais formuler une question. Madame Walker, la mort de Candace Martin vous affecterait-elle ?

— Je pense que non.

— « Une femme éconduite est plus à craindre que toutes les Furies de l'Enfer », ce proverbe vous correspond parfaitement n'est-ce pas ?

— Votre Honneur ! s'écria Yuki.

— Je n'ai pas d'autres questions, Votre Honneur, fit Hoffman en souriant.

52

Yuki était accoudée au comptoir du MacBain's lorsque Cindy surgit dans le pub. Elle semblait sur un petit nuage, comme si des ailes lui avaient poussé dans le dos. Yuki l'étreignit chaleureusement :

— J'espère que ta bonne humeur est contagieuse.

— Moi aussi, répondit Cindy en se hissant sur un tabouret à côté de son amie.

— Alors ? Parle-moi un peu de cette fabuleuse demande en mariage en présence de Dieu et de tous ses anges.

Cindy éclata de rire et lui fit le récit détaillé de cet instant magique.

Yuki avait toujours beaucoup apprécié Rich. Il était rare de croiser un homme à la fois beau comme un acteur de cinéma et dépourvu de narcissisme. Rich était un authentique gentleman, du genre chevaleresque, tout à fait ce qui convenait à Cindy.

Et maintenant, Yuki aussi sortait avec un flic.

Un flic marié.

— Mais je parle, je parle, fit Cindy. C'est bien la première fois que tu restes muette aussi longtemps. Quoi de neuf de ton côté ?

— Je sors avec Jackson Brady.

— Tu plaisantes ?

Yuki jeta un œil autour d'elle pour s'assurer que Brady n'était pas entré dans le pub sans qu'elle s'en aperçoive.

— Je t'assure que non.

— Pas possible ! s'exclama Cindy, l'air impressionnée. Vas-y, je veux tout savoir.

Yuki partit d'un grand éclat de rire et lui raconta toute l'histoire depuis le début : les entretiens qu'ils avaient eus à propos de l'affaire Martin, leur premier rencard au First Crush, un bar à vins qui portait bien son nom, et enfin leur dernier rendez-vous, au Renegade.

— Il s'est beaucoup dévoilé ce soir-là.

— Tu as couché avec lui ? demanda Cindy.

— Pourquoi tout le monde s'intéresse d'aussi près à ma vie sexuelle ?

— Alors ?

— Non, je n'ai pas couché avec lui. Mais j'avoue que j'en avais très envie.

— Quand dois-tu le revoir ?

— Eh bien... si je ne dis pas de bêtises, samedi soir, fit Yuki avec un petit sourire évasif.

— Hé hé ! Bientôt une nouvelle occasion de lui retirer ses vêtements. Je te préviens, j'attends des détails croustillants !

Le serveur déposa leurs verres sur une petite table près de la fenêtre, puis revint avec leurs plats :

— Attention, les assiettes sont très chaudes. Vous voulez boire autre chose ?

Yuki commanda une autre bière.

— Je trouve Brady beau à tomber, fit-elle en retirant les oignons de son hamburger après l'avoir coupé en deux.

— Tu n'es pas la seule, renchérit Cindy tout en recouvrant ses frites de ketchup. Il me fait un peu penser à Don Johnson dans *Deux Flics à Miami*. Tubbs. Attends, non, Crockett.

— Il y a quand même un léger problème.

— Lequel ?

— D'après Lindsay, il est marié.

— Marié ? Et il ne t'en a pas parlé ?

— Non, mais il ne tardera pas à le faire. N'oublie pas que je suis avocate.

— Fais gaffe, Yuki. Si tu t'accroches à lui, tu es cuite. Le plat est bon, mais l'assiette est chaude.

— Ne t'inquiète pas, je reste vigilante.

Yuki avala les trois quarts de son hamburger, puis consulta sa montre et s'imagina la réaction de LaVan si jamais elle arrivait en retard.

— Merde, il faut que je file !

— Vas-y, je prends l'addition.

— D'accord, mais la prochaine fois c'est moi qui t'invite.

Yuki s'essuya les lèvres sur le coin de sa serviette, embrassa Cindy sur la joue et frotta sa bague de fiançailles comme s'il s'agissait d'une lampe d'Aladin. Elle quitta le pub d'un pas pressé, laissant Cindy à son hilarité.

53

Le témoin de Yuki paraissait à la fois surpris et ravi de se retrouver au centre de toutes les attentions.

— Monsieur White, vous possédez une boutique sur Pierce Street, Oldies but Goodies, c'est bien ça ?

— C'est bien ça. Au niveau de Haight Street.

— Et que vendez-vous dans cette boutique ?

— Pas mal de choses. Des juke-boxes, des instruments de musique, des vinyles.

— Vendez-vous aussi des armes à feu ?

— Rarement, mais ça m'arrive.

— En avril de l'année dernière, avez-vous vendu un Smith & Wesson de calibre 22 à M. Dennis Martin ?

— Oui. Il possédait un permis de port d'armes. Je l'ai contrôlé, et j'ai vérifié son identité sur son permis de conduire.

— Votre Honneur, fit Yuki, j'aimerais inclure ce reçu à la liste des pièces à conviction. Ce document prouve que Dennis Martin a bien acheté un Smith & Wesson de calibre 22 dans la boutique de M. White.

Yuki tendit le papier au juge, qui le transmit au greffier, qui lui-même le présenta à Phil Hoffman.

— Avez-vous des objections à soumettre, monsieur Hoffman ? s'enquit LaVan.

— Aucune.

— Le document numéro 30 est donc inclus à la liste des pièces à conviction, déclara LaVan.

— Quand avez-vous contacté la police, monsieur White ? demanda ensuite Yuki.

— La semaine dernière, après avoir lu un article sur le procès. J'ai tout de suite reconnu la photo de M. Martin.

— Merci, monsieur White. Je n'ai plus de questions, Votre Honneur.

Hoffman se leva, s'approcha du témoin et le salua.

— Monsieur White, vous savez sûrement que le numéro de série de l'arme que vous avez vendue à M. Martin ne figure pas sur le reçu. Avez-vous procédé au transfert du certificat d'enregistrement comme le veut la procédure ?

— Je ne suis pas spécialisé dans les armes à feu, vous savez. Ce pistolet faisait partie d'un lot que j'avais acheté lors d'une vente aux enchères l'année dernière.

— Vous n'avez donc pas respecté la procédure légale ?

— Quand j'ai acquis ce lot, je ne savais même pas qu'il contenait un pistolet. Je vous l'ai dit, je ne suis pas spécialisé dans les armes à feu ! Je travaille seul dans la boutique. En plus du pistolet, Dennis Martin m'a également acheté un stylo à plume et un bouquin des années 1920 sur l'électricité. Ces trucs-là, pour moi, ce sont des antiquités. Je lui ai fait un reçu, mais j'ignorais que je devais établir un document spécifique. J'ai quand même contrôlé son permis de port d'armes. Ça m'étonnerait que les commerçants comme moi se prennent la tête avec la paperasse dont vous parlez.

Stephen White dirigea son regard vers Yuki, comme pour lui demander : « Je me suis foutu dans la merde, c'est ça ? »

Hoffman poursuivit son interrogatoire :

— Pour résumer, vous n'avez pas inscrit sur le reçu le numéro de série de l'arme que vous avez vendue à M. Martin. Ce numéro, en avez-vous conservé une trace quelque part ?

— Franchement, je ne crois pas.

— Il n'y a donc aucun moyen d'être certain que l'arme que vous avez vendue à Dennis Martin est la même que celle qui a servi à le tuer ?

— Je n'ai jamais dit que j'en étais certain.

— Merci, monsieur White. J'en ai fini avec le témoin, Votre Honneur.

Le juge croisa ses mains sur son bureau :

— Souhaitez-vous interroger de nouveau le témoin, mademoiselle Castellano ?

— Oui, Votre Honneur.

Yuki ouvrit le dossier qu'elle gardait posé devant elle, en sortit une photographie et se dirigea vers le témoin. Les choses se déroulaient exactement comme elle l'avait prévu.

— Monsieur White, voici une photographie montrant l'arme du crime, un Smith & Wesson de calibre 22. Est-ce bien ce type de pistolet que vous avez vendu à Dennis Martin ?

— Oui.

— Combien d'armes semblables avez-vous vendues au cours du mois d'avril de l'année dernière ?

— Je n'ai vendu que celle-là.

— Combien de Smith & Wesson de calibre 22 avez-vous vendus au cours de l'année dernière ?

— Un seul.

— Et vous l'avez vendu à M. Dennis Martin ?

— Oui, comme je vous l'ai dit. Et j'ai inscrit son nom sur le reçu.

— Merci, monsieur White. Je n'ai pas d'autres questions, Votre Honneur.

Yuki tâcha de conserver un air neutre tandis qu'elle regagnait son siège, mais son esprit était en ébullition.

White était un témoin parfaitement crédible. Il avait vérifié le permis de port d'armes de Dennis Martin et contrôlé son identité grâce à son permis de conduire. Il avait bel et bien vendu un pistolet à Dennis Martin, il n'y avait pas lieu d'en douter un seul instant.

Certes, cela ne constituait pas une preuve irréfutable – mais c'était tout de même un témoignage accablant.

Yuki attendit que Stephen White se retire avant d'appeler à la barre son témoin suivant.

54

Assise au fond de la salle d'audience bourrée à craquer, je regardais Yuki interroger Sharon Carothers, la technicienne de scène de crime qui avait procédé au test pour établir la présence de traces de poudre sur les mains de Candace Martin, moins d'une demi-heure après le meurtre de son mari.

Je connaissais Carothers depuis environ quatre ans, j'avais bossé avec elle sur une dizaine d'affaires, et je ne l'avais jamais vue commettre la moindre erreur. Elle se montrait très scrupuleuse dans son travail, mais elle savait aussi élargir ses perspectives de recherche sans pour autant sortir du cadre légal imparti.

— Madame Carothers, c'est bien vous qui avez dirigé l'enquête menée dans le cadre de l'affaire Martin ?

— Tout à fait.

— Avez-vous procédé au test de résidus de tir sur les mains du docteur Martin aux alentours de 18 h 45, le soir du 14 septembre ? demanda Yuki.

— Oui. Le test était positif.

À cet instant, une femme assise près du mur fut prise d'une interminable quinte de toux. Yuki attendit patiemment que le silence revienne, puis demanda :

— Madame Carothers, avez-vous demandé à l'accusée si elle avait utilisé le pistolet qui a été retrouvé sur la scène de crime ?

— Oui, et elle m'a répondu par l'affirmative.

— Quelle explication vous a-t-elle fournie pour justifier son acte ?

— Elle m'en a donné une avant le test, après quoi elle m'en a fourni une seconde, plus détaillée.

— Elle vous a donné deux explications ? fit Yuki en se tournant vers Candace Martin pour la fusiller du regard.

J'étais déchirée entre mon envie de voir Yuki gagner ce procès et la compassion que j'éprouvais pour Candace Martin. De nombreuses personnes que je connaissais, et pour lesquelles j'avais un profond respect, avaient misé sur sa culpabilité. Se trompaient-elles toutes ?

174

Pourquoi mon instinct me soufflait-il qu'elle était innocente ?

— Quelles étaient ces explications, madame Carothers ? poursuivit Yuki.

Carothers observa les jurés sans ciller :

— Avant le test, le docteur Martin m'a dit que c'était un intrus qui avait tiré sur son mari. Après le test, elle a réitéré cette explication, mais elle a ajouté que lorsqu'elle avait crié pour appeler son mari, l'intrus avait lâché son arme et s'était enfui. Selon ses dires, elle aurait alors ramassé le pistolet et se serait lancée à sa poursuite, avant de tirer plusieurs coups de feu en direction de la rue dans le but de l'effrayer.

Je quittai la salle en silence. J'étais toujours au point mort sur l'enquête Richardson, et Brady m'avait clairement fait comprendre qu'il considérait l'affaire Martin comme définitivement classée.

En revanche, il ignorait que je m'étais replongée dans les archives la veille au soir. J'avais relu toutes les notes de Paul Chi et trouvé une piste que je souhaitais vérifier. Il le fallait, afin de faire taire dans ma tête la voix de Candace Martin qui me répétait : « Je n'ai pas tué mon mari, sergent. C'est ma vie qui se joue dans ce procès. Ma vie ! »

55

En parcourant les notes de Paul Chi, j'avais appris que Caitlin et Duncan Martin prenaient des cours de piano à domicile deux fois par semaine, et que leur professeur s'appelait Bernard Saint-John.

Chi l'avait interrogé au cours de l'enquête, et, d'après son compte rendu, Saint-John n'avait aucune idée de l'identité du tueur. En revanche, il avait insisté pour dire qu'il ne croyait pas une seule seconde à la culpabilité de Candace Martin.

Chi ne l'avait interrogé qu'une seule fois, mais cet homme semblait si convaincu de l'innocence du docteur Martin que je tenais absolument à le rencontrer afin qu'il m'explique pourquoi et comment il s'était forgé cette opinion.

Saint-John louait un appartement dans un petit immeuble de style victorien sur Victoria Street. Il attendait ma visite et m'ouvrit aussitôt lorsque je pressai le bouton de son interphone.

Saint-John était âgé d'une quarantaine d'années. Mince, il mesurait environ un mètre soixante-quinze et avait les cheveux coiffés en brosse. Clairement, ce type évoluait dans un univers mélodramatique. Le salon était paré de dorures et de draperies rouges, le sol recouvert de tapis en imitation peau de zèbre ; un magnifique piano à queue trônait près de la baie vitrée.

Après m'avoir invitée à m'asseoir, Saint-John prit place sur un pouf orné de pompons.

— Je suis content que vous m'ayez appelé, me dit-il. Mais je ne comprends pas pourquoi la police souhaite m'interroger maintenant. Personne ne m'a demandé de venir témoigner au procès.

— Je crois savoir que vous n'étiez pas au domicile des Martin le soir où Dennis a été tué ?

— Non, je n'y étais pas, répondit-il avec un haussement d'épaules. Je n'ai donc pas vu le moindre pistolet, ni entendu la moindre menace.

— D'après ce que vous m'avez dit au téléphone, j'en déduis que vous étiez au courant de certains comportements récurrents au sein de ce foyer, des faits qui pourraient se révéler importants pour le procès.

— Disons que je pourrais livrer certaines pensées et certaines observations. À commencer par ce que j'ai vu à l'époque où Candace a été atteinte d'un cancer du sein.

Saint-John ne se fit pas prier pour me raconter ce qu'il avait pu remarquer au cours des deux dernières années qu'il avait passées à enseigner le piano aux enfants Martin, un récit émaillé de lamentations et de commérages qui, pour autant, n'en rendaient pas son témoignage moins intéressant.

Au contraire.

— Candace se comportait comme une vraie peste pendant sa chimio. Notamment envers Ellen.

— Ellen Lafferty ? demandai-je. La nounou des enfants ?

— Oui, répondit Saint-John. Et j'ignore quand ça a commencé, mais il y a de ça un peu plus d'un an, Ellen m'a confié qu'elle avait une liaison avec Dennis.

— Pourquoi n'en avez-vous pas parlé à la police ?

— Je ne pensais pas que c'était important. Ça l'était, selon vous ?

— Je ne sais pas trop... Autre chose, monsieur Saint-John – pourquoi avez-vous dit à l'inspecteur Chi que Candace était incapable de tuer son mari ?

— Parce qu'elle est médecin. Vous connaissez le serment d'Hippocrate ? « D'abord, ne pas nuire. » En tuant Dennis, elle aurait fait du mal à tout son entourage – il n'y a qu'à voir ce qui se passe depuis qu'il est mort.

Je refermai mon calepin et remerciai Saint-John de m'avoir accordé un peu de son temps. En quittant son appartement, je repensai à ce que Phil Hoffman m'avait dit : les informations dont il disposait concernant Ellen Lafferty pouvaient renverser le cours du procès et innocenter sa cliente.

Candace avait avancé l'hypothèse d'une liaison entre son mari et Lafferty, soupçons confirmés par le témoignage de Bernard Saint-John.

Ellen Lafferty s'était-elle laissé emporter par la jalousie ainsi que Candace l'avait suggéré ?

Était-elle le soi-disant intrus qui avait abattu Dennis Martin ?

56

Je me disais que Paul Chi était encore furax contre moi pour avoir remis en question le splendide chef d'accusation de meurtre au premier degré qui pesait sur Candace Martin. Si sa colère était retombée, elle ne tarderait pas à se manifester de nouveau lorsqu'il apprendrait que je continuais à m'intéresser à l'enquête.

Il était environ 17 heures lorsque je pénétrai dans la salle de la brigade avec un café au lait que je déposai devant lui. Je m'installai sur une chaise, de l'autre côté de son bureau méticuleusement rangé.

— Tu veux encore venir fourrer ton nez dans l'affaire Martin, je me trompe ? lança-t-il en m'observant d'un air vide.

Je hochai la tête :

— Tout ce que je te demande, c'est de me laisser évacuer ça de mon esprit. À ma place, tu te comporterais exactement de la même manière.

— C'est toi le boss.

— Tu te souviens de Bernard Saint-John ?

— Le prof de piano ? Bien sûr ! Comment oublier un type pareil ?

— Je viens juste de lui rendre une petite visite.

— Sache que je ne suis pas furieux contre toi, Lindsay. J'aimerais juste comprendre quelle mouche t'a piquée. On traite une cinquantaine d'homicides par an. On en résout à peu près la moitié, et encore, dans les bonnes années. Pour une fois qu'on a une affaire classée, qu'est-ce qui te prend de vouloir tout remettre en question ?

— Je n'ai pas d'explication.

— Tu n'as pas d'explication pour justifier le fait que tu m'insultes, ainsi que McNeill, Brady, le SFPD et le bureau du procureur ? Tu penses que ton attitude va nous attirer les bonnes grâces du procureur lui-même ?

— Je dois en avoir le cœur net, Paul. Si Candace Martin est coupable, ma petite enquête parallèle n'aura aucune incidence.

— Mais tu la crois innocente, c'est ça ?

— Pour l'instant, je ne suis sûre de rien.

Un sourire illumina le visage de Chi, un fait aussi rare qu'une lune bleue au mois de juin.

— Qu'est-ce qui t'amuse, au juste ?

— Tu ne lâches jamais rien. C'est ce qui me plaît chez toi, Lindsay. Mais j'ai cru remarquer que Brady n'avait pas un sens de l'humour très développé.

— Je gérerai ça avec lui en temps voulu.

Chi haussa les épaules.

— Alors ? Il t'a dit quoi, Bernard Saint-John ?

— Il m'a dit que Dennis Martin avait une liaison avec Ellen Lafferty. C'est elle-même qui le lui a confié.

— Eh bien le voilà, le mobile ! Ça ne fait que renforcer les soupçons qui pèsent sur Candace Martin. Elle a découvert que son mari la trompait avec la nounou, et elle l'a buté. Le crime passionnel dans toute sa splendeur !

— Et si c'était tout le contraire ?

— Tu penses que ce serait Lafferty qui aurait tiré ?

— Ça n'a rien d'invraisemblable, Paul. J'aimerais que tu me parles un peu de Gregor Guzman, le tueur à gages.

Chi secoua la tête et laissa échapper un profond soupir.

— Tu es vraiment obstinée, ma parole. OK, qu'est-ce que tu veux savoir ?

— Tout.

57

— Guzman est soupçonné de onze assassinats, m'expliqua Chi tout en pianotant sur son clavier d'ordinateur. Onze assassinats qui portent sa signature et qui n'ont jamais été résolus.

J'avais rapproché ma chaise si près de son bureau que je voyais mon visage se refléter sur l'écran de son P.C.

— Son mode opératoire est des plus élégants, ajouta-t-il. Il se montre particulièrement discret. Il agit incognito et ne laisse aucun indice derrière lui. Deuxième point, il utilise toujours un calibre 22 et il exécute ses victimes d'une balle dans la tête. Le premier tir suffit, mais il tire systématiquement une deuxième balle, histoire d'être sûr. Un vrai pro.

— Dennis Martin a reçu deux balles dans la poitrine.

— Exact.

Chi afficha une série de photos de l'homme. La première était une image un peu floue en noir et blanc, issue d'une vidéo sur laquelle on le voyait sortir du Circus Circus, un célèbre casino de Las Vegas.

Le cliché suivant provenait d'une caméra de surveillance d'un poste de péage près de Bogota. Il montrait un type atteint d'une calvitie naissante, au volant de sa voiture.

La troisième photo représentait un homme qui lui ressemblait, habillé d'un costume noir, posté près d'un kiosque publicitaire à observer la foule qui entrait dans un bâtiment public. La photo était intitulée « *Lincoln Center, New York* ».

La dernière était celle qui nous intéressait dans le cadre de l'enquête.

Elle avait été prise de nuit à l'aide d'un téléobjectif dirigé vers la fenêtre passager d'un SUV de couleur sombre, et était datée du 1ᵉʳ septembre de l'année passée. On y voyait Candace Martin de profil, son visage en partie masqué par ses cheveux.

À côté d'elle, côté conducteur, se tenait un homme au crâne dégarni, tourné vers elle. Les traits de leurs visages se révélaient difficiles à distinguer en raison de l'obscurité qui régnait dans l'habitacle.

On n'aurait pu affirmer avec certitude qu'il s'agissait de Gregor Guzman, ni que la femme était bien Candace Martin.

— Comment peux-tu être sûr que ce type est Gregor Guzman ? demandai-je à Chi.

— Nous n'avons pas de photo officielle qui nous

permettrait d'effectuer des comparaisons, mais le logiciel de reconnaissance faciale donne une similitude de 83 % entre les quatre images que je viens de te montrer.

— Si l'affaire reposait uniquement sur cette photo, Candace Martin serait libre à l'heure qu'il est.

— C'est le procureur qui a décidé d'intégrer cette photo à la liste des pièces à conviction pour prouver qu'il y avait eu préméditation. Mais je dois t'avouer quelque chose, Lindsay...

— Je suis tout ouïe.

— Cette photo merdique avec Candace Martin est la seule que nous ayons de Guzman depuis trois ans. Qui sait s'il est toujours en vie ?

58

Il était tout juste 18 heures, et le vent soufflait fort. Cindy se trouvait au croisement de Turk Street et de Jones Street, dans le Tenderloin, sans doute le quartier le plus dangereux de San Francisco.

Capuche rabattue sur la tête pour se protéger de la pluie fine qui balayait la rue, les sans-abri poussaient leurs caddies pour aller s'entasser sous les auvents de l'Ethel, un hôtel de passe, et du Aunt Vicky's, un bar gay sordide situé juste à côté.

Cindy boutonna son manteau, remonta son col et observa le local qui abritait la compagnie de taxis, au nord-est de l'intersection. Deux grandes baies vitrées occupaient la façade au rez-de-chaussée, surmontées d'une enseigne lumineuse à l'éclat tremblotant : QUICK EXPRESS TAXI. Rien de très engageant.

Rich lui avait demandé de le rejoindre dans un café un peu plus loin, mais Cindy bouillait d'impatience. Elle appela Rich sur son portable et tomba sur son répondeur. Après lui avoir laissé un message, elle traversa la rue sans même attendre que le feu passe au rouge.

Tandis qu'elle s'approchait du bâtiment, Cindy remarqua une rampe d'accès qui s'enfonçait vers le parking en sous-sol. Plusieurs taxis étaient garés le long du trottoir. Les chauffeurs patientaient sous le crachin, en fumant ou en sirotant des canettes dissimulées dans des sachets en papier.

Cindy se dirigea vers la fenêtre et aperçut le comptoir de l'autre côté de la vitre. Il était assez semblable à un guichet de cinéma, en plus grand. Elle toqua.

L'homme qui se tenait derrière le comptoir était âgé d'une quarantaine d'années. De taille moyenne, il avait les cheveux bruns, un visage pâle et bouffi, et portait une chemise à carreaux froissée et un pantalon beige. Équipé d'un casque à micro, il donnait ses instructions aux chauffeurs en s'agitant sur son fauteuil.

Cindy dut parler fort pour se faire entendre par-dessus le grésillement des appels radio.

— Cindy Thomas, articula-t-elle dans l'hygiaphone. Vous êtes le propriétaire ?

— Non. Je suis le gérant, Al Wysocki. Que puis-je faire pour vous ?

— Je suis journaliste au *Chronicle*, fit-elle en présentant sa carte de presse.

— C'est à quel sujet ?

— L'un de vos chauffeurs a récemment sauvé la vie d'une personne victime d'une crise cardiaque. Cette personne nous a contactés, mais tout ce dont elle se souvient, c'est que le chauffeur conduisait un monospace.

— Vous avez son nom ?

— Hélas, non.

— Il ressemble à quoi, ce chauffeur ?

— Je l'ignore, mais d'après la personne, il y avait une affiche de film à l'arrière du véhicule.

— Une affiche de film ? On ne va pas aller loin avec ça ! Écoutez, nous avons six monospaces. Il y en a trois ici, et les trois autres sont sortis. Mais vous savez, les chauffeurs n'ont pas de véhicule attitré. Ils prennent ceux qui sont disponibles au moment où ils embauchent.

— Je peux jeter un coup d'œil malgré tout ? Ça ne prendra pas longtemps.

— Faites comme chez vous.

Wysocki expliqua à Cindy que le parking comportait trois niveaux, dont deux souterrains. Elle trouverait deux monospaces au premier sous-sol, et le troisième au niveau inférieur.

Cindy le remercia et commença son inspection des véhicules garés dans le parking obscur, crasseux et imprégné d'une forte odeur de gaz d'échappement. Vingt minutes plus tard, elle avait repéré les trois monospaces, mais aucun ne correspondait à la description.

Elle emprunta l'escalier pour regagner le niveau supérieur et laissa sa carte au gérant, qui lui remit la sienne.

— Je peux vous rappeler plus tard ?

— Bien sûr, n'hésitez pas, fit Wysocki, avant d'aboyer une adresse dans le micro de son casque.

De retour dans la rue, Cindy aperçut Richie au coin de Turk Street.

— Tu étais censée m'attendre au café ! s'exclama-t-il en la voyant arriver.

— Désolée, Rich. J'étais un peu en avance et j'ai décidé d'y aller seule. J'avais juste un truc à vérifier. Tu sais, ce n'est qu'une simple compagnie de taxis.

— Une compagnie de taxis qui emploie peut-être un chauffeur que tu soupçonnes d'être un violeur en série !

— La voiture en question n'était pas là.

— Je n'aime pas te voir prendre de tels risques pour écrire un article, fit-il en lui ouvrant la portière côté passager. C'est un quartier vraiment mal famé, ici. Monte, je te dépose à l'appartement. Après ça, il faut que je rejoigne Lindsay.

Cindy plongea son regard dans celui de son fiancé et se mit sur la pointe des pieds pour l'embrasser.

— Tu es surprotecteur avec moi, Rich. Et le plus bizarre, c'est que ça me plaît.

59

Conklin et moi avions une fois de plus rendez-vous avec les Richardson dans leur luxueuse suite du Mark Hopkins, avec sa vue imprenable sur Nob Hill et Union Square, le Transamerica Pyramid et les tours du Financial District, la baie de San Francisco et la travée ouest du Bay Bridge jusqu'à Treasure Island.

J'avais vécu toute ma vie dans cette ville, et pourtant j'avais rarement eu l'occasion d'admirer un tel panorama.

Je restai à contempler les lumières tandis que Conklin expliquait aux Richardson que nous souhaitions nous entretenir avec Avis pendant au moins une heure. Il ajouta que l'interrogatoire serait beaucoup moins pénible pour leur fille s'il pouvait se dérouler dans leur suite plutôt qu'au palais de justice, et que le fait de nous retrouver seuls face à elle, sans ses parents, se révélerait sûrement beaucoup plus productif.

— Je crois qu'elle vous a déjà tout dit, observa Sonja Richardson.

Pourtant, elle et son mari acceptèrent de nous laisser seuls avec Avis et montèrent prendre un « dîner léger » au restaurant de l'hôtel.

Avis me dévisagea avec une antipathie non dissimulée :

— Combien de fois je vais devoir vous le répéter ? grogna-t-elle en allant ouvrir le frigo. (Elle en sortit un bol de sauce et une bouteille de soda, puis fouilla dans un placard à la recherche d'un paquet de chips.) Je vous ai déjà dit tout ce que je savais.

— Viens t'asseoir, Avis, lança Conklin.

Elle l'observa, surprise par son ton autoritaire – et pourtant très mesuré comparé aux images qui me venaient à l'esprit. Si j'avais écouté mes pulsions, je l'aurais volontiers empoignée par le colback pour la clouer au mur.

Par provocation, elle prit une bonne minute pour apporter sa collation sur la table basse.

— Parle-nous un peu de ton prof de littérature, fis-je.

— M. Ritter ?

— Pourquoi ? Tu en as d'autres ?

— M. Ritter est un très bon prof. Ce n'est pas celui que je préfère, mais j'ai des bonnes notes avec lui. Je suis assez douée pour l'écriture.

— Jordan Ritter est-il le père de ton enfant ?

— Vous vous foutez de moi ? Je le connais à peine.

Assise sur un fauteuil face à elle, les mains jointes, les coudes sur les genoux, je me penchai au-dessus de la table basse :

— Tu me prends pour une conne, Avis ?

— Pardon ?

— Je te demande si tu me prends pour une conne.

— De toute manière, qu'est-ce que ça change pour vous de savoir qui est le père de mon bébé ?

— C'est bien ce que je pensais. Tu me prends pour une conne. Allez, lève-toi. Inspecteur Conklin, passez-lui les menottes. Avis Richardson, vous êtes en état d'arrestation pour association de malfaiteurs, entrave à la justice et mise en danger d'un enfant. Si jamais nous retrouvons son corps, vous serez inculpée pour meurtre.

— Mais... ? Qu'est-ce qui vous prend ? s'écria-t-elle tandis que les menottes se refermaient sur ses poignets. Mon bébé n'est pas mort. Il n'est pas *mort* !

— Tu nous raconteras tout ça au poste.

— Je veux rester ici. Je vous dirai tout, mais je ne veux pas aller au poste.

J'adressai un signe de tête à Rich, qui lui ôta les menottes. L'adolescente se laissa choir sur le canapé, puis nous livra une toute nouvelle version de son histoire. Je ne savais pas si elle disait la vérité, mais une chose était certaine, son récit se révélait pour le moins étrange.

60

— Si jamais tu me mens, que tu ne me racontes que la moitié de la vérité ou au contraire que tu en rajoutes, je te préviens, je finirai par m'en rendre compte et tu te retrouveras en prison. C'est bien clair, Avis ?

— Je ne vous mentirai pas, promit l'adolescente. Je vous dirai tout ce que vous voulez savoir. Je ne supporte plus de garder tout ça pour moi.

— Alors, vas-y. Je t'écoute.

— Vous avez raison à propos de Jordan. C'est bien lui le père de mon bébé... Il a des super bons gènes !

Des super bons gènes ? Cette gamine me semblait dangereusement déconnectée de la réalité, mais je préférai garder pour moi tout le mal que je pensais d'elle.

J'effleurai mes cheveux et m'efforçai de maîtriser ma colère. Je ne me rappelais pas avoir déjà ressenti une telle frustration, mais je ne tenais pas à la couper dans son élan en lui laissant voir la fureur dans mon regard. Il était temps de passer le relais à Conklin, lui si habile avec la gent féminine.

— Ton bébé est-il encore vivant, Avis ? lui demanda-t-il. Et sais-tu où il se trouve à présent ?

— Oui, il est vivant. Mais je ne sais pas du tout où il est.

— OK, Avis. On va essayer de réfléchir tous les deux.

— Une grande partie de ce que je vous ai dit était vrai. J'ai caché ma grossesse à tout le monde. Même Jordan, je ne lui en ai parlé qu'au bout de cinq mois, et sa première réaction a été vraiment dégueulasse. Il m'a sorti : « Comment je peux être sûr qu'il est bien de moi ? »

— Les hommes se comportent parfois comme des salauds, observa Conklin.

Avis hocha la tête :

— Je suis allée sur le site de Prattslist et j'ai trouvé une annonce.

— Faux ! intervins-je. Il n'y avait pas d'annonce.

— Ce n'était pas l'annonce dont je vous ai parlé, fit Avis. C'était une autre annonce, et c'était il y a seulement trois semaines. J'ai contacté deux femmes qui vivent en couple. Elles cherchaient un bébé, et elles étaient prêtes à payer vingt-cinq mille dollars.

— Leurs noms ? demandai-je.

— Toni et Sandy.

— C'est tout ?

— Tu as donc contacté ces deux femmes, lança Conklin.

Je jetai un coup d'œil en direction de la porte. Avec un peu de chance, Avis nous dirait tout ce que nous avions besoin de savoir avant le retour de ses parents.

Au vu des éléments dont nous disposions pour le moment, Jordan Ritter et Avis Richardson risquaient tous deux une peine de prison, et il nous fallait à tout prix éviter qu'un avocat payé mille dollars de l'heure vienne mettre son grain de sel dans l'histoire.

— Elles sont venues me chercher près du pensionnat, mais elles ne m'ont pas droguée. Elles m'ont expliqué qu'elles avaient un endroit où je pouvais accoucher tranquillement. Je me suis endormie à l'arrière de leur voiture.

— En te réveillant, est-ce que tu savais où tu étais ? demanda Conklin.

— Non. Tout ce que je peux dire, c'est qu'il faisait sombre et que c'était un lieu isolé. J'avais déjà des contractions. Elles m'ont fait m'allonger sur un lit, et pendant six heures, j'ai hurlé tout ce que je pouvais. J'ai donné naissance à mon bébé. Je l'ai pris dans mes bras. Il était magnifique. Et puis je l'ai donné à Toni et Sandy. Je les ai trouvées très gentilles, et je voyais qu'elles avaient vraiment envie d'avoir un enfant.

C'était plus que je ne pouvais supporter. Cette fille se souciait-elle de l'enfant qu'elle avait mis au monde ? Il était clair que non.

— Et c'est la dernière fois que tu as vu ton bébé ? hurlai-je. C'est tout ce que tu as à nous dire ? Qu'est-ce qui nous prouve que ton histoire est bien vraie ? Si tu as accouché en présence de ces deux charmantes femmes, explique-nous pourquoi tu as été retrouvée couverte de sang au bord du lac ?

— Ça, c'est entièrement ma faute, répondit l'adolescente.

61

Alléluia ! Avis Richardson reconnaissait enfin une part de responsabilité. Si jamais elle nous fournissait une information susceptible de nous conduire à son bébé, je pensais pouvoir lui pardonner de nous avoir fait tourner en rond pendant une semaine.

Alors, Avis ? Prête à nous filer un coup de main ?

J'allai chercher une bouteille de soda dans le frigo et nous servis un verre à chacun.

— Toni m'avait dit que Sandy et elle resteraient avec moi jusqu'à ce que je me sente mieux, nous expliqua Avis. Après ça, elles devaient ramener le bébé chez elles.

— Elles t'ont dit où elles habitaient ? demanda Conklin.

— Non.

J'étais encore en train de comparer ce nouveau récit avec celui qu'elle nous avait livré auparavant, et les deux versions se révélaient pour le moins disparates.

L'homme à l'accent français était passé à la trappe, tout comme le soi-disant kidnapping. L'enfant avait maintenant un père, en la personne du prof de littérature, et voilà qu'Avis avait répondu à une annonce passée par deux femmes et qu'elle prétendait avoir volontairement accouché de son bébé.

Était-elle vraiment capable de dire la vérité ? Toni et Sandy... Je m'interrogeais. Ne les avait-elle pas tout simplement inventées ?

— Juste après l'accouchement, Toni m'a donné son téléphone pour que j'appelle Jordan et qu'il vienne me chercher. Mais quand je lui ai passé le téléphone pour qu'elle lui explique comment venir, il a raccroché.

Je songeai aussitôt que les appels entrants seraient indiqués sur les relevés téléphoniques de Jordan. Nous tenions peut-être enfin une piste.

— À ce moment-là, je n'avais plus qu'une envie : partir. Je ne voulais pas rester **près de** mon bébé, et dès que j'en ai eu l'occasion, j'ai quitté la maison en passant par la porte de derrière. J'ai fait du stop jusqu'à Brotherhood Way, mais les gens qui m'avaient prise partaient vers l'est et ils m'ont déposée là-bas.

— Ils t'ont dit leur nom ? demandai-je. Tu te souviens de leur voiture ou de la plaque d'immatriculation ? Les contacter nous permettrait peut-être de localiser la maison où tu as accouché.

— Franchement, je n'avais pas la tête à enregistrer ce genre de détails. Je venais de m'enfuir ; j'étais au milieu de nulle part. Je n'avais ni mon sac à main ni mon téléphone, rien, et je me suis remise à saigner. De plus en plus. Ça, je ne m'y attendais pas.

L'adolescente commençait à montrer des signes de détresse. Une fine pellicule de sueur brillait sur son front et elle se tordait les mains en repensant à sa propre douleur.

— Tu veux poursuivre, ou tu préfères faire une pause ? s'enquit Conklin.

— Ça va, je peux continuer. De toute manière, je n'ai pas grand-chose à ajouter. J'ai trouvé un poncho dans les broussailles près du lac et j'ai retiré mes vêtements pour l'enfiler à la place. J'ai repris mon chemin mais je me sentais très faible et je suis tombée plusieurs fois. Au bout d'un moment, des gens se sont arrêtés en voiture et m'ont conduite à l'hôpital. Et vous êtes venue m'interroger, conclut-elle en me dévisageant d'un œil mauvais. Est-ce que Jordan risque d'avoir des problèmes parce que je suis mineure ?

— Ne t'en fais pas, il ne lui arrivera rien, mentis-je. (Je marquai un temps de pause.) Le plus important, c'est qu'on retrouve ton bébé pour s'assurer qu'il va bien.

Et cette fois, je ne mentais pas.

Où était donc cet enfant ?

Si ces deux femmes existaient bel et bien et ne sortaient pas tout droit de l'imagination fertile de notre écrivain en herbe, l'avaient-elles gardé ?

Dormait-il paisiblement dans un lit douillet au côté de son ours en peluche, au sein d'un foyer stable et aimant ?

Ou bien avait-il été transporté clandestinement hors du pays, le côlon rempli d'héroïne ?

— Comment ont-elles payé ? demandai-je ensuite.

Je priai Dieu pour qu'elles lui aient remis un chèque.

— Elles ne m'ont rien donné. Je ne voulais pas d'argent. Ç'aurait été illégal, non ? Je veux dire, ç'aurait été comme vendre mon enfant ? Je ne l'ai pas vendu ! (Elle se tourna vers Conklin.) Alors, vous allez faire quoi maintenant ?

— Quoi qu'on fasse, tout se passera bien, lui répondit mon coéquipier.

Vraiment ? songeai-je. Pour qui ?

62

Nous quittâmes le Mark Hopkins en laissant les Richardson réconforter leur fille – ils nous avaient à peine regardés lorsque Conklin les avait informés que nous les rappellerions plus tard.

Mon coéquipier et moi prîmes un moment pour discuter en arrivant à hauteur de ma voiture – ou, plutôt, il m'écouta fulminer longuement contre cette adolescente aussi stupide que dépravée –, puis chacun regagna son appartement.

Je profitai du trajet pour contacter Quentin Tazio depuis mon portable.

QT, comme il aime à se faire appeler, est un consultant auquel nous faisons parfois appel, et que l'on décrit souvent comme « un cerveau dans un bocal ». Il vit dans un duplex sombre et austère rempli de matériel informatique pour lequel il a consacré tout l'héritage de son père – un million de dollars au bas mot – et cela fait de lui l'homme le plus heureux que je connaisse.

Je lui exposai la raison de mon appel et lui parlai de l'annonce sur Prattslist, du coup de fil reçu par Jordan Ritter le soir de l'accouchement, et enfin de Toni et Sandy, qui pouvaient aussi bien être de vrais noms que des surnoms, ou même des pseudonymes utilisés pour l'occasion.

Peut-être Avis nous avait-elle enfin dit la vérité – du moins celle qu'elle connaissait.

Je préparai le dîner pour Joe et me servis un grand verre de merlot pour accompagner mon assiette de pâtes. Nous sortîmes faire une promenade avec Martha et je racontai à mon mari le dernier rebondissement dans l'affaire Richardson.

— J'ai le pressentiment que QT trouvera quelque chose d'intéressant, fit Joe.

Les pressentiments de Joe, un ancien du FBI, se révèlent souvent exacts.

Je dormis comme un loir cette nuit-là, lovée entre Joe et Martha, et en arrivant au palais de justice à 8 heures et demie le lendemain matin, je découvris que QT avait cherché à me joindre.

Je le rappelai aussitôt, laissai un message, et tandis que j'attendais qu'il me rappelle à son tour, Brady me convoqua dans son bureau pour faire le point sur l'affaire Richardson. Je lui dressai un compte rendu bref mais détaillé, et il me posa des questions pertinentes auxquelles j'aurais aimé pouvoir apporter des réponses tout aussi pertinentes.

— Il va falloir très vite progresser dans l'enquête, ou on devra se résoudre à transmettre le dossier au *Crimes Against Persons* et passer à une autre affaire, me dit-il en guise de conclusion.

Mon téléphone se mit à sonner lorsque je franchis la porte de mon bureau. J'espérais un appel de QT, mais mon écran indiquait « Hanover, Brighton Academy ».

— Boxer, j'écoute ? fis-je en me représentant l'homme et sa cravate à pois derrière son bureau en bois précieux.

— Bonjour, sergent. Une chance de parvenir à vous joindre aussi vite.

— Que se passe-t-il, monsieur Hanover ?

— Avis Richardson a disparu. Elle a repris les cours hier, mais ce matin, elle n'était pas dans sa chambre. Et je viens de découvrir que l'un de nos professeurs avait disparu lui aussi. Jordan Ritter ne s'est pas présenté à son cours ce matin. C'est très inhabituel de sa part. L'un comme l'autre semblent s'être volatilisés. Ils n'ont laissé aucune lettre, aucune explication.

63

Moins de vingt-quatre heures plus tôt, Phil Hoffman révisait sa stratégie de défense dans son bureau lorsqu'un appel du SFPD avait soudain considérablement augmenté les chances de voir sa cliente acquittée. Il y avait vu une intervention divine.

Il se tenait à présent derrière le banc de la défense, face au juge LaVan :

— J'appelle à la barre M. Bernard Saint-John.

Bernard Saint-John pénétra dans la salle d'audience. Cheveux impeccablement coiffés, il portait un luxueux costume à rayures et une chemise en soie bleue. Il prêta serment, s'installa, puis Hoffman s'approcha de lui.

Comme il l'avait prévu, Yuki bondit sur ses pieds.

— Votre Honneur, nous avons eu connaissance de la participation de ce témoin seulement hier soir. Nous n'avons par conséquent pas eu le temps de mener une enquête en bonne et due forme.

Hoffman se tourna vers le juge :

— J'ai moi-même entendu parler de ce témoin hier soir pour la première fois, et j'ai immédiatement envoyé un e-mail à Mlle Castellano pour la mettre au courant.

LaVan les observa à travers ses lunettes :

— Ne vous inquiétez pas, mademoiselle Castellano, vous aurez vous aussi la possibilité d'interroger le témoin. Allez-y, monsieur Hoffman.

— Merci, Votre Honneur. Quelle profession exercez-vous, monsieur Saint-John ?

— Je suis concertiste, et je donne également des cours de piano.

— Êtes-vous le professeur de piano des enfants Martin ?

— Je ne le suis plus. J'ai été congédié il y a de ça quatre mois. Les enfants étaient accaparés par un grand nombre d'activités, et le piano ne faisait manifestement pas partie des priorités.

— En quoi consistait votre travail avant d'être congédié ?

— Je donnais des cours à Caitlin principalement. Mais Duncan apprenait les gammes et quelques morceaux pour débutants.

— À quelle date avez-vous commencé à travailler chez les Martin ?

— Il y a deux ans et un mois.

— Avez-vous lié amitié avec d'autres personnes employées par le couple ?

— Oui.

— Étiez-vous ami avec Ellen Lafferty, la nourrice des enfants ?

— Oui.

— Et Mlle Lafferty s'est-elle confiée à vous à propos de sa relation avec M. Martin ?

— Oui, il y a de ça un peu plus d'un an.

— Que vous a-t-elle dit exactement ?

— Elle m'a dit qu'elle entretenait une liaison avec Dennis Martin, et que cette liaison avait débuté à l'époque où sa femme suivait une chimiothérapie pour son cancer du sein. Elle m'a aussi expliqué qu'elle avait commencé à coucher avec lui pour lui remonter le moral. Elle le trouvait déprimé.

Hoffman laissa s'écouler quelques secondes, le temps que les ricanements cessent, puis pria le témoin de poursuivre.

— Lorsqu'elle m'a parlé de leur relation, Ellen m'a avoué qu'elle était tombée amoureuse de Dennis et qu'elle ne savait pas quoi faire, ajouta Saint-John.

— Mlle Lafferty vous a-t-elle reparlé de cette liaison par la suite ? s'enquit Hoffman.

— Oui. Elle m'a montré les cadeaux qu'il lui avait offerts. Et peu de temps avant sa mort, elle m'a de nouveau confié qu'elle était folle amoureuse de lui, et qu'elle adorait les enfants.

— Pourquoi n'avoir pas raconté tout ça plus tôt, monsieur Saint-John ?

— La police m'a seulement demandé si j'avais constaté de l'hostilité entre le docteur Martin et son mari. J'ai répondu qu'il m'était arrivé de les entendre se disputer. Ils voulaient également savoir si je me trouvais dans la maison le soir du meurtre, mais je n'y étais pas. Cela faisait plusieurs jours que je n'y étais pas allé.

— Avez-vous dit aux enquêteurs que vous soupçonniez le docteur Martin d'avoir tué son mari ?

— Non. Au contraire, je leur ai dit que je la croyais totalement innocente. Les Martin traversaient tous les deux une période tendue, mais j'étais persuadé que Candace était incapable de tuer le père de ses enfants, et c'est exactement ce que j'ai dit aux policiers venus m'interroger.

— Pensez-vous qu'Ellen Lafferty vivait mal le fait de n'être que la maîtresse de Dennis ?

— Objection, Votre Honneur ! s'exclama Yuki. L'avocat de la défense cherche à orienter la réponse du témoin en faisant preuve de sournoiserie et de calcul.

— Objection retenue, fit LaVan. (Il pointa son marteau vers Hoffman :) Que je n'aie pas à vous reprendre.

— Entendu, Votre Honneur, répondit Hoffman. (Il baissa la tête pour dissimuler un sourire, puis ajouta :) Je n'ai pas d'autres questions.

64

Yuki griffonna une note à l'intention de Nicky : « Des infos sur le prof de piano ? »

« Aucune », écrivit Nicky pour toute réponse.

Saint-John n'ayant pas soutenu la thèse privilégiée par la police, il avait été purement et simplement ignoré. Quant à Yuki, elle n'avait rien vu venir. Hoffman avait cherché à lui parler de la liaison entre Ellen Lafferty et Dennis Martin, mais elle l'avait envoyé promener.

Luttant contre la panique, elle se mit à trier ses fiches pour se donner une contenance tandis qu'elle réfléchissait à la façon de gérer ce rebondissement explosif.

Le témoignage de Saint-John signifiait qu'Ellen Lafferty avait un mobile. Et puisque Dennis possédait un pistolet – un élément que Yuki avait elle-même introduit –, Ellen avait très bien pu mettre la main dessus et, le cas échéant, s'en servir pour tuer Dennis Martin. Elle en avait même eu l'occasion tous les jours.

Bon sang !

La première règle qu'apprenaient les avocats, c'était de ne pas poser de questions lorsqu'on ne connaissait pas soi-même les réponses. Elle se retrouvait maintenant contrainte de naviguer à vue.

Yuki se leva.

— Bonjour, monsieur Saint-John.

— Bonjour.

— Ce que j'attends de vous, poursuivit-elle en s'approchant du témoin, c'est que vous nous exposiez des faits. Je ne m'intéresse pas à ce qu'on vous a raconté ou à ce que vous avez entendu dire.

— Mademoiselle Castellano, lança LaVan d'un ton empreint de lassitude. C'est moi qui porte la robe, ici. En conséquence, c'est à moi, et non à vous, de donner les instructions. Maintenant, si vous avez une question, je vous suggère de la poser sans plus tarder.

— Oui, Votre Honneur. Monsieur Saint-John, j'aimerais que vous répondiez à ma question en vous fondant uniquement sur ce que vous avez vu de vos propres yeux.

— Bien sûr. D'accord.

Yuki adressa mentalement une brève prière à sa mère décédée, puis :

— Avez-vous déjà surpris Dennis Martin et Ellen Lafferty dans une situation que l'on pourrait qualifier de compromettante ?

— Vous voulez dire, en train de faire l'amour ?

— Oui. Ou même en train de s'embrasser.

— Non. Je ne sais que ce qu'Ellen m'a dit.

— Merci. Je n'ai pas d'autres questions, Votre Honneur.

— Vous pouvez quitter la barre, monsieur Saint-John, fit le juge.

65

— Votre Honneur, j'appelle à la barre Mlle Ellen Lafferty, annonça Phil Hoffman en se levant de son siège.

Ellen Lafferty pénétra dans la salle d'audience la tête haute et s'avança d'un pas assuré le long de l'allée centrale.

Tous les regards se portèrent sur la jolie jeune femme impeccablement vêtue d'un tailleur-pantalon gris. Elle portait une croix en or en pendentif et avait tout de la personne à qui l'on confierait ses enfants les yeux fermés.

Phil Hoffman faisait de son mieux pour dissimuler son empressement. À l'origine, Ellen Lafferty devait être le témoin clé de Yuki Castellano. Avec l'information dont il disposait à présent, il n'aurait aucun mal à en faire, au contraire, le témoin clé de la défense. Mais il devait s'efforcer d'y parvenir sans passer pour un monstre aux yeux des jurés.

Lorsque Lafferty eut prêté serment, Phil Hoffman s'approcha du box des témoins, salua la jeune femme et lui posa sa première question :

— Mademoiselle Lafferty, comment décririez-vous la relation que vous aviez avec Dennis Martin ?

— À quel égard, monsieur Hoffman ?

— Je pense que ma question est suffisamment claire. Quel type de relation entreteniez-vous avec Dennis Martin ?

— C'était le père des enfants dont j'ai la charge. Je ne vois rien d'autre à dire.

— Votre Honneur, je demande l'autorisation de considérer Mlle Lafferty comme un témoin hostile.

LaVan fit pivoter son fauteuil de quatre-vingt-dix degrés et déclara :

— Mademoiselle Lafferty, j'explique cela aussi bien pour vous que pour les membres du jury : un témoin hostile est un témoin de la partie adverse – en l'occurrence, un témoin à charge – qui, lorsqu'il est interrogé par l'autre partie – en l'occurrence, la défense –, risque de se montrer peu enclin à parler. En vous désignant comme un témoin hostile, j'autorise M. Hoffman à vous poser des questions suggestives. Je vous rappelle que vous avez prêté serment et que vous êtes tenue de dire la vérité. C'est bien compris ?

— Compris, Votre Honneur.

Hoffman fixa Lafferty droit dans les yeux et demanda :

204

— Aviez-vous une liaison avec M. Martin ?

— Oh, mon Dieu !

— Aviez-vous, oui ou non, une liaison avec Dennis Martin ?

— Oui.

— Pouvez-vous parler un peu plus fort pour que les jurés vous entendent ?

— Oui, nous avions une liaison.

— Et quand cette relation a-t-elle débuté ?

Les yeux d'Ellen Lafferty s'embuèrent de larmes, qui ne tardèrent pas à rouler le long de ses joues.

— Il y a deux ans, au mois d'avril.

— C'est-à-dire un peu plus d'un an avant la mort de M. Martin ?

— Ou-ou-oui.

— Cette relation durait-elle encore à l'époque où M. Martin a été tué ?

— Oui.

— Vous admettez donc avoir eu une relation sexuelle avec un homme marié au sein même du foyer qu'il partageait avec sa femme et ses enfants ?

— Oui.

— Et lorsque Mlle Castellano vous a interrogée à la barre, vous n'avez pas jugé utile de nous parler de cette liaison ?

— Non.

— Quelle opinion avez-vous du docteur Candace Martin ?

— Je trouve que c'est une femme cruelle.

— Étiez-vous jalouse d'elle ?

Plusieurs secondes s'écoulèrent, au cours desquelles Lafferty laissa errer son regard entre Yuki, les jurés et Candace Martin.

— Répondez à la question, mademoiselle Lafferty.
Étiez-vous jalouse de la situation de Candace Martin,
qui était mariée à l'homme dont vous étiez amoureuse ?

— Je suis vraiment obligée de répondre à cette
question, Votre Honneur ?

— Vous l'êtes, fit LaVan.

Lafferty poussa un long soupir et posa sa main sur
la croix qu'elle portait autour du cou. Ses mots réson-
nèrent avec force dans la salle où tout le monde rete-
nait son souffle :

— C'est vrai que j'aurais aimé avoir sa vie. Mais je
n'aurais jamais cherché à lui faire du mal.

— Et M. Martin ? Il refusait de quitter sa femme,
n'est-ce pas ? Auriez-vous pu chercher à lui faire du
mal ?

— Non. Bien sûr que non. Je l'aimais.

— Et lui, que ressentait-il pour vous ? Vous avait-il
promis de divorcer de sa femme pour vous épouser ?

— Pourquoi me persécutez-vous ? Vous ne voyez
pas ce qu'il cherche à faire, monsieur le juge ? Il veut
m'accuser du meurtre de Dennis, alors que c'est elle
qui l'a tué !

— Je vous prie de répondre à la question, mademoiselle Lafferty.

Lafferty s'était contenue trop longtemps : la fissure
dans le barrage se transforma en crevasse et laissa se
déverser des torrents de larmes.

66

Phil Hoffman fit tinter ses clés dans la poche de son pantalon.

— Voulez-vous faire une pause ? s'enquit-il auprès d'Ellen Lafferty.

La jeune femme hocha la tête. Hoffman lui tendit un paquet de mouchoirs et attendit qu'elle retrouve ses esprits.

— Je vous repose la question : M. Martin vous a-t-il déjà dit qu'il comptait quitter sa femme pour se marier avec vous ?

— Oui, il me l'a dit plusieurs fois. Assez souvent, même.

— Avait-il précisé ce projet ?

— Que voulez-vous dire, au juste ? Je ne comprends pas bien.

— C'est pourtant simple. M. Martin avait-il entamé une procédure de divorce ?

— Non.

— Vous avait-il déjà présentée à ses amis ?

— Non. Je ne m'attendais pas à ce qu'il le fasse.

— Aviez-vous, par exemple, programmé une date pour votre futur mariage ?

— Mais enfin, non ! Rien de tout ça. Je m'occupais de ses enfants. Je le voyais tous les jours. Il me disait qu'il m'aimait et qu'il méprisait sa femme. Je pensais qu'il finirait par la quitter parce qu'il me le disait souvent, et je l'ai cru jusqu'au jour de sa mort.

— Ou alors... avait-il rompu avec vous, mademoiselle Lafferty ? Vous avait-il demandé de foutre le camp ? Vous avait-il traitée comme n'importe laquelle de ses innombrables maîtresses en vous disant qu'il ne quitterait jamais sa femme ? Est-ce la raison pour laquelle vous étiez furieuse contre lui ?

— Pas du tout. Nous étions amoureux l'un de l'autre.

— Cet enfoiré vous avait menti, pas vrai ?

— Non !

— Vous étiez tellement furieuse que vous avez décidé de le tuer, n'est-ce pas, mademoiselle Lafferty ?

— Objection, Votre Honneur. M. Hoffman harcèle la témoin.

— Objection retenue. Les jurés ne tiendront pas compte de la dernière question. Monsieur Hoffman, c'est déjà la deuxième fois que je suis obligé de vous reprendre. Avez-vous d'autres questions pour la témoin, ou bien souhaitez-vous prêter serment afin de venir vous-même témoigner à la barre ?

— Je ne l'ai pas tué ! s'écria Ellen Lafferty. Je n'ai pas tué Dennis ! Je vous jure que c'est vrai. Jamais je n'aurais pu lui faire du mal. Jamais, jamais, jamais !

— Tout comme vous n'auriez jamais, jamais, jamais pu mentir ? C'est bien ça ?

— Exactement. Je ne suis pas une menteuse.

— Candace Martin tenait-elle un pistolet à la main lorsque vous avez quitté la maison le soir du meurtre ?

— C'est ce que je crois. Enfin, c'est ce que je croyais. Je ne suis plus sûre de rien.

— Exactement. Mais vous n'êtes pas une menteuse, vous venez de nous le dire. Je n'ai pas d'autres questions, Votre Honneur.

67

Un élan de colère balaya toutes les peurs et les craintes de Yuki. La défense venait d'anéantir son témoin clé, semant au passage les graines du doute raisonnable dans l'esprit des jurés.

Yuki ne savait pas si elle était capable de réhabiliter une briseuse de ménage potentielle doublée d'une menteuse, mais elle savait que c'était la condition *sine qua non* pour gagner le procès.

Elle vit à peine le petit mot que lui glissa Nicky : « Fonce ! »

Elle se leva, se dirigea vers la barre des témoins et s'y appuya, comme un geste de réconfort à l'intention de la jeune femme.

— Avez-vous tué Dennis Martin, mademoiselle Lafferty ?

— Non, je ne l'ai pas tué !

— Le couple Martin se disputait-il souvent ?

— Sans arrêt.

— Avez-vous vu un pistolet dans la main de Candace Martin le soir du meurtre ?

— Il m'a semblé que oui. C'était il y a plus d'un an. Et ça s'est passé si vite. Je n'en suis plus si certaine.

— Mentiez-vous lorsque vous avez dit devant les jurés ici présents que vous soupçonniez Candace Martin d'avoir tué son mari ?

— Je ne mentais pas, je le jure devant Dieu !

— Je n'ai plus de questions pour Mlle Lafferty, Votre Honneur.

Phil Hoffman observa la témoin quitter la salle en s'essuyant les yeux avec un mouchoir. Elle pleurait encore en franchissant les portes battantes.

Il était seulement 11 heures et quart.

Avant même que les jurés n'aient l'occasion d'éprouver la moindre compassion pour Ellen Lafferty, Phil Hoffman lâcherait sa deuxième bombe de la journée.

68

— La défense appelle à la barre le docteur Candace Martin.

L'espace d'un instant, Yuki crut que ses oreilles lui jouaient des tours. Mais lorsque Candace Martin se faufila vers l'allée centrale, le visage fermé, vêtue d'un costume Anne Klein à deux mille dollars et chaussée d'une paire de Ferragamo à huit cents dollars, elle comprit qu'Hoffman n'avait plus peur de rien.

Candace n'était pas tenue de témoigner.

Le juge LaVan avait expliqué aux jurés que l'accusée n'avait pas l'obligation de venir à la barre et qu'ils ne devaient pas lui en tenir rigueur.

Si Hoffman optait pour cette stratégie, cela ne pouvait signifier que deux choses : un désespoir absolu ou une confiance inébranlable.

Et Hoffman n'avait pas l'air désespéré le moins du monde.

Candace Martin posa sa main sur la Bible, et à la question : « Jurez-vous de dire la vérité, toute la vérité, rien que la vérité ? », elle répondit : « Je le jure. » Puis elle se tourna vers son avocat.

— Docteur Martin, commença Hoffman, je sais que ces éléments ont déjà été établis, mais j'aimerais revenir dessus pour que les choses soient bien claires. Étiez-vous chez vous lorsque votre mari a été tué ?

— Oui.

— Où se trouvaient vos enfants, Caitlin et Duncan ?

— Ils étaient chacun dans leur chambre.

— Et afin que les jurés puissent visualiser la scène avec précision, pouvez-vous nous dire où se tenait Cyndi Parrish, votre cuisinière ?

— À l'étage, dans sa chambre.

— Et où se trouvait Ellen Lafferty ?

— Je l'ignore. Elle était venue me saluer une quinzaine de minutes avant que Dennis se fasse tirer dessus.

— Votre mari, justement, où était-il ?

— Ça aussi je l'ignore. Je ne l'avais pas vu en arrivant. Je suis montée dire bonjour à mes enfants, puis j'ai emprunté le couloir pour me rendre dans mon bureau. C'est là que j'étais quand Ellen est venue me dire qu'elle partait.

— Que faisiez-vous dans votre bureau à ce moment-là ?

— Je passais des coups de fil.

— Étiez-vous encore dans votre bureau lorsque vous avez entendu les coups de feu ?

— Oui. Je m'apprêtais à appeler la femme de l'un de mes patients. J'avais ôté mes lunettes et j'étais en train de me masser les tempes. (Pour illustrer, le docteur Martin ôta ses lunettes, les posa sur l'accoudoir et se massa les tempes avec le pouce et l'index de la main gauche.) Je tenais le téléphone avec mon autre main, expliqua-t-elle ensuite en faisant mine d'empoigner un combiné imaginaire.

Yuki se fit la réflexion que cette démonstration s'avérait un excellent moyen d'amener les jurés à visualiser un téléphone dans la main de Candace Martin, au lieu d'un pistolet. Elle devait reconnaître que c'était une manœuvre habile.

— J'aimerais que vous expliquiez au jury ce qui s'est passé au moment où vous avez entendu les détonations, fit Hoffman en esquissant un pas de côté pour ne pas bloquer la vue des jurés.

Candace Martin énuméra les différentes actions dans leur ordre chronologique, comme l'avait fait Hoffman le premier jour du procès. Elle précisa qu'elle s'était précipitée dans l'entrée, qu'elle avait trouvé son mari étendu sur le sol, le torse couvert de sang, et qu'elle avait vérifié son pouls.

Elle poursuivit en racontant qu'elle ne portait pas ses lunettes, mais qu'elle avait entendu un objet métallique tomber par terre. Elle s'était rendu compte qu'il s'agissait d'un pistolet en même temps qu'elle avait aperçu une ombre se diriger vers la porte.

Yuki scrutait le visage de Candace Martin, guettant le moindre petit tic, le moindre petit mouvement oculaire qui aurait trahi ses mensonges. Mais elle se révélait tout à fait crédible.

Et les jurés, eux aussi, devaient la trouver parfaitement crédible.

En seulement quelques minutes, Yuki allait devoir jeter le discrédit sur cette chirurgienne cardiaque renommée, mère de famille exemplaire, et aller décrocher l'auréole que Phil Hoffman s'était employé à faire briller au-dessus de sa jolie tête blonde.

Elle savait ce qu'il lui restait à faire.

Elle se demandait simplement si elle en était capable.

69

Phil Hoffman était en train de conclure l'interrogatoire de Candace Martin en s'efforçant de gommer tous les signes visibles de son enthousiasme. Il avait la certitude que son coup de poker allait s'avérer payant. Candace était parfaite : claire, concise, cohérente.

Et, bien sûr, innocente.

— Lorsque vous avez vu Dennis gisant sur le sol et que vous avez compris qu'il était mort, qu'avez-vous fait ? demanda-t-il.

— Je me rappelle avoir empoigné le pistolet. C'était la première fois de ma vie que je tenais une arme, mais en voyant quelqu'un s'enfuir de la maison, instinctivement, j'ai voulu appréhender la personne qui avait tiré sur mon mari. Je lui ai couru après en criant : « Arrêtez-vous ! » à plusieurs reprises. Et puis j'ai tiré.

— Avez-vous touché quelqu'un, madame Martin ?

— Non. Je n'ai vu personne à l'extérieur. J'ai simplement tiré en l'air pour être certaine que la personne n'aurait pas l'idée de revenir. Après ça, je suis retournée dans la maison, j'ai verrouillé la porte et je me suis accroupie auprès de Dennis. Entre-temps, les enfants étaient sortis de leurs chambres et s'étaient mis à pleurer. C'était une scène horrible. Horrible. J'ai renvoyé Caitlin dans sa chambre, et Duncan est allé à l'étage, dans celle de Cyndi.

— Que s'est-il passé ensuite ?

— J'ai appelé le 911. La police est arrivée quelques minutes plus tard.

— Expliquez aux jurés dans quel état vous étiez à ce moment-là.

— Eh bien, j'étais paralysée par la stupeur, le chagrin. Et sans que j'y comprenne rien, cela a encore empiré. J'aimerais ajouter quelque chose si c'est possible.

— Allez-y.

Candace Martin hocha la tête, avala péniblement sa salive.

— C'était une fin de journée classique. Et puis d'un seul coup, j'ai entendu des coups de feu. Un intrus venait de pénétrer dans ma maison et de tuer mon mari. Lorsque les policiers sont venus, ils ont commencé à m'interroger. J'ai dû abandonner mes enfants alors qu'ils venaient de vivre l'expérience la plus traumatisante qui soit, passer à côté du cadavre de mon mari et monter dans une voiture de police pour être conduite au commissariat.

» Les policiers m'ont interrogée pendant huit heures avant de me mettre en cellule pour la nuit. Le lendemain matin, ils m'ont appris que j'étais inculpée pour un meurtre que je n'avais pas commis.

» Sur le coup, j'étais terrorisée, et depuis, la peur ne m'a plus jamais quittée. J'ai peur pour moi, mais aussi pour mes enfants. Je ne les vois plus, et je le vis très mal.

Yuki sentit que les jurés l'observaient avec compassion. *Le vent est en train de tourner*, songea-t-elle, inquiète. Elle griffonna une note qu'elle montra à Nicky, lequel se tourna vers son ordinateur portable pour ouvrir un dossier tandis que Phil Hoffman remerciait sa cliente.

70

Yuki parcourut le texte que Nicky venait d'ouvrir sur son ordinateur. Il s'agissait de la déposition que Candace Martin avait faite un an plus tôt. Elle se leva et s'approcha de l'accusée.

— Docteur Martin, aimiez-vous votre mari ?

— Oui.

— Pourtant, vous aviez une liaison depuis plus d'un an lorsqu'il a été tué.

— C'est vrai.

— Quels sont vos sentiments à l'égard de Felix Ashton, votre amant ?

— Objection, lança Hoffman depuis son siège. Cette question ne présente aucun intérêt.

— Objection rejetée, fit le juge. Répondez à la question, docteur Martin.

— J'ai beaucoup d'affection pour Felix.

— Lors de son témoignage, M. Ashton a clairement exprimé l'amour qu'il éprouvait pour vous, poursuivit Yuki. Vous ne partagez donc pas ses sentiments ?

— Je ne saurais quantifier les sentiments que j'ai pour lui.

— Votre mari vous a-t-il dit ce qu'il pensait du fait que vous ayez une liaison ?

— Pas vraiment.

— Ressentait-il du chagrin ? De la colère ?

— Je pense sincèrement qu'il s'en moquait, répondit Candace Martin. Ç'aurait été assez hypocrite de sa part de venir me faire des reproches.

— Selon votre amant, votre mari vous a suivis à plusieurs reprises. Est-ce exact ?

— Oui. Mais je le répète, je pense que Dennis se moquait que je fréquente Felix. Il voulait simplement que j'accepte de divorcer.

— Et pourquoi refusiez-vous le divorce ?

— Je n'acceptais pas les conditions qu'il avait posées.

— Vous souscrivez donc à la théorie selon laquelle il est préférable pour des enfants que leurs parents restent ensemble, même s'ils ont des aventures chacun de leur côté ?

— Objection, Votre Honneur, lança Hoffman. Mlle Castellano harcèle le témoin.

— Objection retenue. Venez-en au fait, mademoiselle Castellano.

— J'y viens, Votre Honneur. (Yuki s'éloigna de plusieurs pas, obligeant ainsi Candace Martin à hausser la voix pour répondre.) Ellen Lafferty a admis avoir eu une liaison avec votre mari. Étiez-vous au courant ?

— Je l'ai appris en même temps que vous.

— Étiez-vous jalouse de l'attention que votre mari portait à d'autres femmes ?

— Non. J'y étais habituée.

— Donc, malgré le fait que vous l'aimiez, vous étiez indifférente à ses coucheries répétées, alors qu'elles avaient lieu sous votre propre toit. C'est tout à fait remarquable.

— Ne prenez pas la peine d'objecter, monsieur Hoffman, intervint le juge LaVan. Mademoiselle Castellano, votre opinion est ici hors de propos. Contentez-vous de poser vos questions.

— Désolée, Votre Honneur. Docteur Martin, j'aimerais récapituler pour être certaine d'avoir bien compris. Vous aviez une liaison, vous reconnaissez que votre mari était lui-même infidèle, et pourtant vous affirmez que vous l'aimiez. D'autre part, vous avez été photographiée en compagnie d'un tueur à gages. En réalité, vous avez découvert l'arme de votre mari... (Yuki mima un pistolet à l'aide de son pouce et de son index, qu'elle pointa en direction de Candace Martin.) Et dès que vous en avez eu l'occasion, vous l'avez tué.

Là, Yuki s'immobilisa, pressa la détente de son pistolet imaginaire et imprima à son poignet un petit mouvement sec. Elle ignora les cris indignés de Phil Hoffman et le coup de marteau du juge – un son qui donna l'impression que son coup de feu imaginaire avait été bien réel.

Parlant par-dessus le vacarme, Yuki ajouta :

— Enfin, après avoir abattu votre mari, vous avez tiré quelques coups en l'air afin de pouvoir justifier les traces de poudre sur vos mains. Je me trompe ?

— Objection, Votre Honneur ! s'égosilla Hoffman. Mlle Castellano n'a fait que nous livrer son propre résumé de l'action. Hormis son « Je me trompe ? », ce monologue absurde ne contenait pas la moindre question. Je demande à ce que l'intégralité de ce contre-interrogatoire soit supprimé du procès-verbal !

— Pour l'amour du Ciel ! s'écria Candace Martin en se penchant en avant, les veines du cou saillantes, hurlant pour couvrir la voix de son avocat. Si j'avais voulu tuer Dennis, pourquoi l'aurais-je fait chez moi, devant mes enfants ? Ça, c'est ce qu'a voulu faire croire la police après une enquête bâclée, et c'est ce que vous voulez faire croire aux jurés avec ce procès haineux. Oui, c'est vrai, j'étais furieuse contre Dennis, mais je ne l'ai pas tué. Tout comme je n'irais pas vous tuer, vous, mademoiselle Castellano !

71

— Monsieur Hoffman ! beugla le juge en abattant à plusieurs reprises son marteau sur le bureau. Veuillez calmer votre cliente, je vous prie !

Mais ses cris ne firent que jeter de l'huile sur le feu qui venait d'embraser la salle d'audience.

Les mains jointes devant elle, Yuki espérait que l'incendie durerait le plus longtemps possible.

Même si son contre-interrogatoire était rayé du procès-verbal, même si elle se voyait infliger une amende, elle était parvenue à faire sortir Candace Martin de ses gonds. Ses véhémentes protestations pour affirmer qu'elle n'était pas l'auteur du crime avaient perdu de leur flamboyance.

Le mobile existait.

Le fait qu'elle ait perdu son calme prouvait aux jurés qu'elle n'était pas un modèle de sang-froid et qu'elle avait très bien pu tuer son mari.

Le juge abattit son marteau une dernière fois et le vacarme cessa enfin. Il redressa ses lunettes sur son nez, baissa les yeux vers Yuki et demanda :

— Avez-vous quelque chose à ajouter, mademoiselle Castellano, ou considérez-vous que vous en avez assez fait pour aujourd'hui ?

— Je n'ai pas d'autres questions, Votre Honneur.

— J'aimerais réinterroger le témoin, Votre Honneur, lança Hoffman.

Mais le juge n'écoutait plus. Il avait les yeux rivés sur l'écran de son téléphone portable ; son visage avait pris une teinte blafarde.

Hoffman formula une nouvelle fois sa requête.

— Ça devra attendre, répondit le juge. Je dois aller voir quelqu'un à l'hôpital sans plus attendre. Docteur Martin, vous pouvez vous retirer. L'audience est suspendue pour la journée. Mademoiselle Castellano, monsieur Hoffman, je vous donne rendez-vous dans mon bureau demain matin à 8 heures. Ne soyez pas en retard. Nous ferons le point sur la situation.

72

En arrivant ce matin-là, je me rendis directement dans le bureau de Brady avec l'espoir que notre entretien ne durerait pas plus de quelques dizaines de secondes.

M'apercevant, Brady raccrocha son téléphone et déclara :

— Boxer, je vais être contraint de vous retirer l'affaire Richardson pour la confier au *Crimes Against Persons*. Regardez un peu tout ce qui est arrivé depuis la semaine dernière, ajouta-t-il en désignant d'un geste du menton le tableau blanc installé au milieu de la salle de la brigade.

Six nouvelles affaires y étaient notées au marqueur noir. Les affaires classées apparaissaient en rouge. Il n'y en avait pour le moment aucune.

— Nous venons de faire une avancée significative, lieutenant, expliquai-je en prenant place sur une chaise face à lui.

Je remarquai qu'il ne portait pas d'alliance et me pris à songer à Yuki, si fragile, blottie dans les bras de ce flic dont je ne savais presque rien. J'avais peur pour elle. Yuki était aussi douée dans l'art de la plaidoirie que dans l'art de rater sa vie sentimentale.

Brady m'observait en silence, attendant que je parle.

— Quentin Tazio a réussi à trouver une piste qui pourrait nous permettre de résoudre l'enquête.

— Tazio, notre consultant spécialisé en informatique ?

— C'est le meilleur.

Je précisai à Brady comment QT était parvenu à établir que Jordan Ritter avait reçu un appel émis depuis le périmètre de Lake Merced à l'heure à laquelle Avis Richardson avait donné naissance à son bébé.

— Avis avait demandé à l'une des deux femmes qui l'assistaient pour l'accouchement de lui prêter un téléphone afin de joindre son petit ami. L'appareil en question appartient à une certaine Antoinette Burgess, une ancienne institutrice âgée de quarante ans. Elle vit à Taylor Creek, dans l'Oregon, une petite ville de trois mille habitants.

— Vous pensez que le bébé se trouve actuellement chez elle ?

— D'après Avis, Burgess était présente lors de l'accouchement.

— Je sens que l'espoir renaît. Vous pensez que j'ai raison d'espérer, Boxer ?

Je hochai la tête et poursuivis en précisant que Burgess n'avait pas de casier et que je souhaitais aller la rencontrer. Si le bébé était chez elle, je pensais pouvoir le ramener sans avoir à demander une intervention des forces spéciales, avec leurs sirènes, leurs hélicoptères et tout le danger que cela représentait.

— Conklin restera ici et se chargera de localiser Avis et Ritter, ajoutai-je. Claire Washburn m'accompagnera et nous sommes d'accord pour nous rendre là-bas de manière officieuse.

— J'aimerais autant que ça soit officiel. Finissons-en avec cette affaire une bonne fois pour toutes. Je vais tout de suite prévenir les autorités de la ville la plus proche de Taylor Creek.

— Avec tout le respect que je vous dois, lieutenant, je pense qu'il vaudrait mieux essayer de se faire une idée de la situation sur place avant d'entamer la moindre démarche.

Nous passâmes un long moment à discuter de la logistique avant de parvenir à accorder nos violons, mais malgré ça, je sentais Brady enthousiaste. Après lui avoir assuré que je l'appellerais sitôt arrivée à Taylor Creek et que je le tiendrais informé régulièrement tout au long de la journée, j'obtins son feu vert.

Je quittai le bureau de Brady soulagée qu'il ne m'ait pas retiré l'enquête. Je savais que cette femme vivant dans l'Oregon constituait probablement ma dernière chance de retrouver le bébé d'Avis.

TROISIÈME PARTIE

ROAD TRIP

73

Je rejoignis Claire sur le parking près de l'institut médico-légal. Elle s'installa à côté de moi sur le siège passager avec un sac de puériculture transformé pour l'occasion en sac de pique-nique.

Comme moi, Claire n'avait pas effectué de long voyage en voiture depuis plus d'un an. Mais contrairement à moi, elle semblait d'excellente humeur.

Je tapai « Main Street, Taylor Creek, Oregon » sur mon GPS et pris la direction de Bay Bridge et de l'autoroute I-80. J'avais l'intention d'effectuer d'une seule traite ce voyage de près de sept cents kilomètres.

J'espérais bien être de retour avec le bébé d'Avis Richardson le lendemain à la même heure. Je l'imaginais déjà confortablement blotti dans son petit siège-auto.

— Je t'ai pris un sandwich aux œufs, me dit Claire tandis que nous quittions le pont sous l'épais brouillard matinal qui enveloppait la baie et la marina. J'ai demandé au gars de rajouter une tranche de jambon.

Et voilà ton café, avec beaucoup de lait, comme tu aimes.

— Tu es vraiment la meilleure !

— Je sais, fit Claire en gloussant.

Elle était visiblement ravie de s'éloigner de la ville. Le temps de rejoindre l'autoroute, elle s'était mise à me parler de Ruby Rose Washburn, sa petite fille, qui se trouvait être également ma filleule.

Elle me raconta en détail ses dernières bêtises, sa première bouchée de hot-dog – qu'elle avait eu l'air de beaucoup apprécier – et l'amour qu'elle avait pour son père.

— Edmund lui joue du violoncelle – elle adore ! me dit-elle comme nous nous engagions sur le Carquinez Bridge.

J'admirai la vue sur la baie de San Pablo, Mare Island et l'ancien chantier naval. À l'est s'étendait la ville de Crockett, avec son immense sucrerie.

— Je l'installe sur le fauteuil pendant qu'il répète et elle gazouille en l'écoutant jouer. Edmund dit qu'elle adore Vivaldi. C'est vraiment une période géniale, Lindsay.

— J'imagine, fis-je.

Que dire de plus ? J'adore Ruby Rose, et nous étions en route pour tenter de retrouver un bébé disparu. De mon côté, je mourais d'envie d'avoir un bébé avec Joe. Moi aussi, je rêvais de connaître tout ça : les bêtises, la première bouchée de hot-dog, les gazouillis, entendre Joe chanter des arias en italien à notre enfant.

Sans m'en rendre compte, je m'étais mise à pleurer. J'essuyai d'un revers de la main les larmes salées qui roulaient le long de mes joues, et Claire remarqua mon geste.

228

— Qu'est-ce qui ne va pas, Lindsay ?

— Rien. Je suis juste un peu fatiguée.

— Après toutes ces années, tu crois encore pouvoir me mentir sans que je m'en aperçoive ?

— Non. Bien sûr que non.

— Alors ? Vas-y, dis-moi ce qui ne va pas.

— En ce moment, tous les mois, je me désespère de voir filer une nouvelle occasion de tomber enceinte. Le fait de m'être mariée me donne encore plus envie d'avoir un bébé. Le genre d'envie qui te submerge comme un tsunami.

— Vous essayez, Joe et toi ?

Je hochai la tête.

— Depuis combien de temps ?

— Trois ou quatre mois.

— Rien d'anormal, rassure-toi.

Nous étions maintenant sur l'Interstate 5, à environ cent cinquante kilomètres au nord de San Francisco. Des broussailles bordaient l'autoroute de chaque côté, et une clôture de barbelés séparait la chaussée des plaines arides qui s'étendaient vers l'horizon.

Le mot « stérile » me vint soudain à l'esprit.

— Tu as tes règles en ce moment ? me demanda Claire.

— Oui.

Elle se pencha vers moi et posa sa main sur mon épaule :

— Tu vas t'acheter une barre chocolatée à la prochaine station-service.

— Ce sont les ordres du médecin ?

— Tout à fait, répondit Claire en rigolant. Et il n'y a pas à discuter.

74

Tous les flics vous le diront, dès lors que l'affectif entre en jeu, on perd en objectivité. C'est ainsi, il faut apprendre à accepter que des personnes innocentes se fassent agresser, violer, escroquer, kidnapper et assassiner chaque jour que Dieu fait.

Mais d'un autre côté, quel est l'intérêt d'être flic si on n'est pas prêt à donner tout ce qu'on a dans les tripes ? Pour le même salaire, autant poinçonner des tickets de train.

Nous fîmes le plein d'essence à la sortie de Williams, avant de nous accorder une pause déjeuner au Granzella's, un restaurant qui, de l'extérieur, ressemblait à une sorte d'entrepôt, et devenait un authentique pavillon de chasse sitôt franchie la porte d'entrée. Claire et moi prîmes place à une table sous les têtes empaillées de biches, d'ours, de zèbres, de buffles et autres bestioles à cornes.

Hormis cette exposition de créatures exotiques, le Granzella's proposait d'excellentes linguine servies avec une sauce épicée.

— Avis Richardson nous a fait perdre plus d'une semaine, me lamentai-je auprès de Claire tout en dégustant mon plat de pâtes. Et vu tous les mensonges qu'elle nous a servis depuis le début, il ne serait pas impossible qu'elle nous ait menés une fois de plus sur une fausse piste.

Claire écouta patiemment ma diatribe, puis fit monter la température d'un cran en évoquant la dernière grosse affaire sur laquelle nous avions enquêté. Pete Gordon, un authentique tueur psychopathe, avait froidement assassiné quatre jeunes mères et cinq enfants en bas âge quelques mois plus tôt. Une folie meurtrière qui ne nous avait pas laissées indemnes.

Je me rendis aux toilettes et, assise sur le siège piqueté de rouille, laissai s'évacuer toutes les larmes de mon corps. Je retournai dans la salle après m'être passé un peu d'eau sur le visage.

— C'est moi qui invite, fis-je à Claire. Allez, on y va !

À 14 h 15, nous étions de nouveau sur la route. À environ trois cent cinquante kilomètres au nord de San Francisco, l'autoroute traversait le lac Shasta.

Pour la première fois depuis une semaine, je cessai de penser à ces histoires de bébés. La vue de ces rives aux teintes jaunes et roses surgissant des profondeurs presque turquoise me coupa le souffle.

Mais c'en fut bientôt fini de la balade touristique. Je songeai que nous allions sûrement retrouver le bébé d'Avis. Oui, j'en étais persuadée.

Sur les coups de 17 heures, nous arrivâmes à Taylor Creek.

C'était l'une de ces petites villes typiques du nord-ouest, traversées par une route principale où s'alignaient des bâtisses en brique de la fin du XIXe siècle. Jadis des banques et des entrepôts, elles abritaient désormais des boutiques et des bureaux.

Les voitures défilaient lentement. Les lampadaires et les phares s'allumaient peu à peu tandis que le soleil couchant teintait le ciel d'une lueur rosée.

— J'aimerais pousser jusqu'à la maison d'Antoinette Burgess, fis-je à Claire. Histoire de repérer les lieux.

La voix désincarnée de mon GPS me guida jusqu'à Clark Lane, une rue étroite bordée d'arbres à l'entrée de laquelle un panneau indiquait ATTENTION IMPASSE.

Les jardins étaient clôturés par des palissades, et diverses architectures se côtoyaient d'une façon pour le moins hétéroclite : maisons victoriennes, style ranch ou Craftsman.

La maison d'Antoinette Burgess était en bois de cèdre, ceinturée par une grande terrasse, avec un toit très pentu où trônait une antenne satellite. Aucune lumière ne brillait à l'intérieur et l'allée du garage était vide.

Je garai mon Explorer le long du trottoir.

— On dirait qu'il n'y a personne, observa Claire.

J'y voyais une excellente opportunité d'aller jeter un coup d'œil.

— Attends-moi là, je reviens dans deux secondes, fis-je en éteignant les phares.

75

Le jardin était assez mal entretenu : la pelouse, parsemée de feuilles mortes, n'avait pas été tondue depuis un bon moment. Sur ma droite, une allée envahie de mauvaises herbes menait à un garage pour deux voitures. La porte ouverte montrait qu'il était vide.

J'allumai ma lampe torche et m'avançai lentement ; les graviers crissaient sous mes pas.

Le garage renvoyait une odeur d'huile de moteur et le sol était maculé de taches sombres. Je promenai le faisceau de ma lampe autour de moi et éclairai un canot suspendu entre deux chevrons, des piles de bassines en plastique et des cartons remplis de ce qui ressemblait à des pièces détachées pour motos : pignons, soupapes et autres semelles de frein.

Rien de bien intéressant.

Je quittai le garage pour me diriger vers l'arrière de la maison. En éclairant les fenêtres, je pus distinguer les meubles, d'aspect plutôt vieillot, un poêle à bois et un siège-auto posé sur la table de la cuisine.

Mon regard resta longtemps fixé sur ce siège vide. Mon rythme cardiaque s'accéléra comme je tournais le bouton de la porte.

Elle n'était pas verrouillée – mais alors que je m'apprêtais à entrer, je vis une petite lumière rouge clignotante se refléter sur la porte du micro-ondes.

La maison était équipée d'une alarme.

Je relâchai le bouton de la porte, et au même instant, je perçus au loin le rugissement de plusieurs motos. Le bruit se rapprochait.

Je compris que je devais déguerpir au plus vite. J'éteignis ma lampe et rebroussai chemin à la lueur du crépuscule. Claire descendit sa vitre et m'appela dans l'obscurité :

— Lindsay ? Tu entends ça ?

Je me hâtai de regagner le siège conducteur et démarrai tandis que l'éclat de sept ou huit phares individuels perçait l'obscurité naissante à l'autre bout de l'impasse.

J'effectuai un rapide demi-tour dans un crissement de pneus avant d'enfoncer la pédale d'accélérateur.

— Tout en douceur, hein ! Tu crois que quelqu'un a pu nous repérer ? ironisa Claire en agrippant le tableau de bord.

— Tu me connais : aussi subtile qu'un bulldozer.

Nous passâmes à travers la cavalcade qui se dirigeait vers la maison d'Antoinette Burgess, et je gardai un œil sur mon rétroviseur. Arrivées devant la maison, les motos s'engagèrent dans l'allée menant au garage.

Antoinette faisait-elle partie du cortège ?

Et l'enfant, où était-il ?

Un dernier coup d'œil à mon rétroviseur me permit d'apercevoir la silhouette de l'un des motards qui venait de s'arrêter sur le trottoir. Il était encore sur sa bécane au moment où je tournai pour quitter l'impasse.

Problème.

J'avais comme l'impression qu'il venait de relever le numéro de ma plaque.

76

Situé sur Main Street, l'hôtel Clearwater était un bâtiment à deux étages de style victorien. Avec sa façade bleu délavé ornée d'un balcon en saillie supporté par deux colonnes, il paraissait tout droit sorti du Far West ou d'un film avec Butch Cassidy et Sundance Kid.

Le hall d'entrée n'avait subi aucune rénovation depuis les années 1920 : papiers peints à motifs, fauteuils recouverts de satin et portraits sépia de personnes disparues depuis belle lurette accrochés aux murs.

L'homme assis derrière le guichet semblait lui aussi surgi d'un autre temps. Ses cheveux gris coiffés en catogan et ses lunettes sans monture me firent penser que l'hôtel devait peut-être son nom au Creedence Clearwater Revival, un groupe des années 1970 qu'il m'arrivait d'écouter de temps à autre.

Je signai le registre et le reçu de carte de crédit, pris les clés des chambres, et tandis que Claire passait un coup de fil à son mari, le réceptionniste m'expliqua qu'il s'appelait Buck Keene et qu'il était le propriétaire de l'établissement.

Nous discutâmes un moment de la météo et des restaurants qu'on trouvait dans le coin, puis je tentai de lui soutirer quelques renseignements :

— Je cherche à rencontrer une personne. Vous la connaissez peut-être ? Elle s'appelle Antoinette Burgess.

— Toni ? Bien sûr. Vous savez, tout le monde se connaît, ici. Toni est la présidente des Devil Girlz, un club de motardes qui travaillent comme vigiles dans un saloon de Winchester.

— Elle a une amie qui s'appelle Sandy. Ça vous dit quelque chose ?

L'homme au catogan eut un mouvement de recul, comme s'il en avait trop dit ou que je venais de lui mettre un flacon d'ammoniaque sous le nez.

— Vous êtes de la police ! s'exclama-t-il. J'aurais dû m'en douter !

À ces mots, il ouvrit un tiroir et sortit son insigne de shérif. Je lui présentai mon badge.

— Qu'est-ce qui se passe avec Toni ? Elle a des ennuis ? demanda Keene.

— Pas du tout. Je veux simplement m'entretenir avec elle dans le cadre d'une enquête en cours.

— Alors vous vous trompez de personne. Ça lui est arrivé de déconner, mais elle est clean maintenant. Elle s'est rangée. Être interrogée par les flics... (Keene laissa sa phrase en suspens et secoua la tête.) Il faut libérer les chambres avant midi, ajouta-t-il.

Ma salle de bains était équipée d'une baignoire avec des pieds en fer forgé, d'un porte-serviettes en cuivre et d'un lavabo sur colonne, sur lequel était posé un panier garni d'articles de toilette. Je fis couler de l'eau chaude dans la baignoire, y jetai une poignée de sels de bain et téléphonai à Conklin.

— Antoinette Burgess fait partie d'un gang de motardes, les Devil Girlz. Le genre illégal, je présume.

— Donne-moi deux petites secondes, fit Conklin.

Je contrôlai la température de l'eau et m'attachai les cheveux pendant qu'il effectuait une rapide recherche sur Internet.

— Ça y est, me dit-il au bout d'une minute. J'ai trouvé deux ou trois informations sur ces Devil Girlz. Elles trempent dans des trafics de drogue et d'armes. Reste prudente, Lindsay. Apparemment, ce ne sont pas des saintes.

— Ne t'inquiète pas. J'y vais sur la pointe des pieds. Je suis allée inspecter vite fait la maison et j'ai repéré un siège-auto sur la table de la cuisine.

— Sans blague ?

— Sans blague ! Tu veux bien me faire une faveur et te charger de prévenir Brady ?

Joe décrocha à la première sonnerie. Je me glissai dans la baignoire et poussai un soupir de contentement en sentant l'eau chaude recouvrir mes épaules.

— Alors ? C'est comment là-bas ? me demanda-t-il.

— C'est une petite ville mignonne comme tout. Imagine un mélange entre *Bienvenue en Alaska* et *La Quatrième Dimension*.

— Fais attention à toi, Blondie.

Deuxième personne à me conseiller d'être prudente en moins de dix minutes. J'étais pourtant dans la police depuis une bonne décennie !

— Ne t'en fais pas, Joe. J'ai mon badge et mon flingue.

— Je n'aime pas trop t'entendre parler comme ça.

— C'est-à-dire ?

— Comme quelqu'un de blasé.

— J'ai conduit toute la journée, Joe.

— Appelle-moi si jamais tu as besoin d'aide. Promis ?

— Promis. Allez, embrasse-moi, maintenant !

Après mon bain, j'appelai le shérif-réceptionniste depuis le téléphone de la chambre.

— Shérif Keene ? Vous avez une minute à m'accorder ? J'aimerais vous parler de l'affaire sur laquelle j'enquête.

77

À 8 heures le lendemain matin, je m'engageai avec mon Explorer à l'entrée de Clark Lane.

— Vise un peu ça, fit Claire.

La rue était envahie par un groupe de motardes – phares allumés, moteurs vrombissant, elles formaient une barrière infranchissable entre nous et la maison d'Antoinette Burgess, et semblaient bien décidées à nous bloquer le passage.

Mon plan, qui consistait à aller frapper à la porte, présenter mon badge et récupérer le bébé, se révélait pour le moins compromis. À aucun moment je n'avais envisagé d'avoir à affronter une éventuelle baston. Ce Buck Keene de malheur avait sûrement dû rencarder « Toni ».

— Et maintenant, on fait quoi, Kemo Sabe ? lança Claire.

— On improvise, Tonto. Je vais devoir miser sur mon charme. On m'a toujours dit que j'en avais beaucoup.

J'immobilisai ma voiture à une cinquantaine de mètres de la meute de « bikeuses », assez près pour pouvoir admirer leurs coupes de cheveux masculines, leurs vêtements cradingues, leurs tatouages et les chaînes ornant leurs blousons de cuir.

Je demandai à Claire de verrouiller les portières dès que je serais sortie et de garder son téléphone portable à la main.

En posant le pied sur le sol, je sus qu'il n'y avait plus moyen de faire machine arrière. Je devais maintenant parvenir à entrer dans la maison. Je visualisai le trajet que j'allais devoir parcourir pour esquiver la chef de gang, franchir le portail et me diriger vers la porte d'entrée.

La bikeuse en question fit rugir son moteur puis coupa le contact et descendit de sa monture. Elle marcha dans ma direction et s'arrêta devant moi.

Âgée d'une bonne quarantaine d'années, elle faisait à peu près ma taille, un mètre soixante-dix-huit, mais pesait facilement vingt-cinq kilos de plus. Ses cheveux blonds gominés étaient coiffés en arrière, son sourire fourbe laissait entrevoir quelques espaces vides et son nez avait tendance à s'orienter vers le côté droit de son visage.

L'étiquette au niveau de sa poche de poitrine indiquait « Toni ». S'agissait-il d'Antoinette Burgess ? Elle n'avait clairement rien de la mère de famille qu'on croise en général dans les banlieues pavillonnaires.

— Qu'est-ce que vous voulez ? lança-t-elle.

Je sentis mes mains devenir moites. La situation, je le savais, pouvait dégénérer à tout instant et de mille manières différentes. Écartant les pans de ma veste, je dévoilai l'étui contenant mon arme de service ainsi que le badge accroché à ma ceinture.

— Sergent Lindsay Boxer, du SFPD. Je suis là à propos de l'enfant.

— Je ne vois pas de quoi vous voulez parler.

À cet instant, un cri de bébé retentit à l'intérieur de la maison. Je levai la tête et aperçut la silhouette d'une femme qui se détachait en contre-jour derrière la fenêtre. Elle tenait un bébé dans ses bras.

Je pivotai sur mes talons pour regagner ma voiture, et lorsque Claire eut déverrouillé les portières, je grimpai sur le siège passager et lui demandai de me passer le téléphone.

J'avais enregistré le numéro de Buck Keene.

— Shérif Keene ? Sergent Boxer à l'appareil. J'ai besoin de renfort sur Clark Lane. Si vous n'êtes pas là d'ici cinq minutes, j'appelle le FBI, et je vous garantis qu'ils n'hésiteront pas à anéantir tous ceux qui se dresseront entre eux et ce bébé kidnappé.

78

Trois voitures de patrouille vertes et blanches, sirènes hurlantes, remontèrent Clark Lane dans la faible lueur matinale et s'arrêtèrent sur le bas-côté. Le shérif Buck Keene descendit du véhicule de tête. Il portait un chapeau de cowboy, une veste marron à manches frangées sur laquelle était épinglée son étoile, et tenait un fusil à la main.

— Allez, les filles, dispersez-vous. Essayons de garder notre calme, OK ?

Son intervention fut accueillie par des huées et quelques vannes fusèrent çà et là parmi le groupe, mais les Devil Girlz consentirent malgré tout à s'écarter pour le laisser passer.

Toni Burgess, Claire et moi lui emboîtâmes le pas. Nous traversâmes le jardin envahi de mauvaises herbes et gravîmes les marches grinçantes menant à la porte d'entrée.

Keene frappa à la porte.

— Ouvre, Sandy. C'est Buck.

La porte s'entrebâilla légèrement.

— Va-t'en, Buck ! On n'a rien fait de mal.

— Bonjour, Sandy, intervins-je. Je suis le sergent Lindsay Boxer, et je suis accompagnée du docteur Claire Washburn. Nous sommes du SFPD et nous voulons simplement parler avec vous.

— Téléphonez-moi si c'est juste pour parler.

— Nous voudrions voir le bébé, fit Claire. Nous assurer qu'il va bien.

— Qu'est-ce qui se passe au juste ? beugla le shérif. Qu'est-ce que vous avez fait, toutes les deux ?

— On n'a rien fait de mal, Buck. Dégagez, maintenant. Si vous n'avez pas de mandat de perquisition, vous devez quitter notre propriété.

— Tu ferais mieux de nous laisser entrer, Sandy. Je t'assure que c'est dans votre intérêt.

— Dégagez ! Ne m'obligez pas à le répéter. Vous êtes dans une propriété privée.

Je commençais à en avoir assez de ce cirque. Je me reculai d'un demi-pas et enfonçai la porte d'un coup d'épaule. Claire et le shérif s'engouffrèrent dans la maison à ma suite.

— Toujours aussi subtile, me glissa Claire.

— Comme un bulldozer, répondis-je.

C'est alors que je vis la femme qui nous avait parlé à travers la porte entrouverte. Elle portait une salopette et un t-shirt rose à manches longues. Son joli visage était encadré par de longs cheveux soyeux ; elle devait avoir trente ans tout au plus.

Elle tenait contre son épaule un bébé enveloppé dans une couverture bleue, un nouveau-né qui se tortillait.

S'agissait-il du bébé d'Avis Richardson ?

En tout cas, cet enfant était vivant !

Je remarquai ensuite que Sandy tenait un pistolet de 9 millimètres braqué droit sur ma tête. Et à juger par son regard, je savais qu'elle n'hésiterait pas à s'en servir.

79

— Fous le camp, Buck ! hurla Sandy.

— Hors de question. Pas avant que tu aies posé ton arme et que tu m'aies expliqué ce qui se passe. Il est bien à toi, ce bébé, non ? Tu étais enceinte, je t'ai vue...

— Tais-toi, Buck. Je t'en supplie, tais-toi. Ne pose pas de questions.

— Tu as menti à tout le monde, c'est ça ? Tu as fait semblant d'être enceinte ? Bon Dieu, Toni, comment vous avez pu faire un truc pareil ?

Sandy plaça le canon de son arme sous son menton.

— Je ne veux plus parler de ça. Sortez, maintenant. Tous ! Je ne plaisante pas.

Je me sentis pâlir et le contenu de mon estomac se mit à bouillonner.

— On peut t'aider, Sandy, fit Keene. Tu ne résoudras rien comme ça.

— Ça me regarde ! Dégagez, dégagez, dégagez ! hurla-t-elle.

Le bébé, lui aussi, s'était mis à hurler à pleins poumons.

J'avais la bouche sèche. Jamais je n'aurais pu imaginer que la situation dégénérerait de la sorte.

— Ne vous inquiétez pas, Sandy, tentai-je de la rassurer. Nous voulons simplement discuter un peu de la situation. Buck, s'il vous plaît, pourriez-vous nous laisser seules ?

— Essaie de la raisonner, Toni, fit le shérif en s'adressant à la motarde en blouson de cuir. J'attends dehors.

— Je vais poser mon arme, fis-je à Sandy tandis que le shérif quittait la maison.

Je portai la main à l'étui contenant mon Glock et déposai lentement mon arme sur le sol.

Toni Burgess la ramassa et traversa la pièce pour aller la mettre dans la poubelle, sous l'évier. Elle referma la porte du placard.

Sandy rangea son pistolet dans une poche de sa salopette, puis étreignit son bébé.

Je laissai échapper un long soupir de soulagement et jetai un œil autour de moi. J'aperçus des biberons sur le comptoir de la cuisine et des jouets posés sur un tapis en peau de mouton. Des photos du petit étaient affichées un peu partout sur le frigo.

Sandy berçait son bébé contre son épaule en lui tapotant le dos, mais il continuait à pleurer.

— Je m'appelle Sandra Wilson, dit-elle en se tournant vers moi. Et voici mon fils, Tyler Burgess Wilson. C'est moi, sa mère, à présent. J'ai répondu à l'annonce d'Avis Richardson sur Prattslist, et je lui ai donné vingt-cinq mille dollars pour rembourser les frais liés à la grossesse et à l'accouchement. Elle a signé les papiers. Tout est en règle. Dites-lui bien qu'il est trop tard pour qu'elle revienne sur sa décision.

— C'est Avis qui avait passé l'annonce ?

— Tout à fait. Je peux même vous la montrer si vous voulez. Dès qu'elle nous a donné son accord, nous avons effectué le virement sur son compte. Écoutez, nous aimons Tyler. C'est notre petit garçon et il est hors de question qu'on l'abandonne.

80

— Je suis médecin, Sandy, intervint Claire. Et j'ai une petite fille qui n'est pas beaucoup plus âgée que Tyler. Serait-il possible que je l'examine brièvement ?

— Je n'arrive pas à le faire manger, expliqua la jeune femme d'une voix soudain brisée par l'émotion.

— Ça va aller, fit Claire en l'étreignant chaleureusement. Ne vous en faites pas. (Elle prit l'enfant dans ses bras et l'allongea sur la table de la cuisine.) Auriez-vous des lingettes et une couche ? demanda-t-elle ensuite d'une voix calme.

Je restai au côté de Claire tandis qu'elle déshabillait le bébé, et je pus me rendre compte qu'il avait les yeux marron, une peau bien rose et tout ce qu'il faut là où il faut. Je remarquai également une petite tache de vin sur le dos de la main. Je caressai doucement sa paume. Il se mit à agiter ses jambes en poussant des cris.

Pendant que Claire examinait le bébé, Toni Burgess disparut et revint une minute plus tard avec l'annonce de Prattslist et une feuille de papier qu'elle me tendit d'une main tremblante.

— J'aimerais que vous regardiez ça, sergent. Comme ça, vous allez pouvoir nous laisser tranquilles et demander à Buck de partir.

— Je préfère que vous me la lisiez, répondis-je.

— « Je, soussignée Avis Richardson, certifie être majeure et saine d'esprit, et accepte de donner mon enfant à Sandra Wilson et Antoinette Burgess, qui m'ont remis la somme de 25 000 dollars pour couvrir les dépenses engagées au cours de ma grossesse. »

L'annonce était telle que Sandy nous l'avait décrite. Et la lettre avait été datée et signée en présence d'Antoinette Burgess et de Sandra Wilson.

Je poussai un soupir, puis me résolus à leur dire la vérité :

— Le problème, Toni, c'est qu'Avis Richardson a seulement quinze ans.

— C'est faux, elle a dix-huit ans ! Elle nous a montré sa carte d'identité.

— Elle vous a menti.

— C'est... c'est impossible ! s'écria Sandy en s'effondrant sur une chaise.

Elle éclata en sanglots. Elle pleurait si fort qu'il était difficile de comprendre ses paroles, mais j'entendis distinctement les phrases suivantes : « On l'a attendu avec tant d'impatience. On a assisté à sa naissance, et on lui a donné tout notre amour. Avis ne voulait pas de lui. Elle n'avait aucun sentiment pour ce bébé. »

Je m'approchai d'elle, ôtai l'arme de la poche de sa salopette et éjectai le chargeur.

Elle leva vers moi un regard suppliant :

— Aidez-nous, sergent. Que devons-nous faire pour le garder ?

— Vous ne pouvez pas le garder, Sandy, répondis-je tout en sachant que ces paroles devaient lui faire l'effet d'un coup de poignard dans le cœur. Ce bébé a déjà une famille qui l'attend. Je suis vraiment désolée du chagrin que cela vous cause, mais c'est ainsi.

81

Ce fut un déchirement de quitter Clark Lane.

Policiers, voisins et membres des Devil Girlz se rassemblèrent autour de mon Explorer pendant que Toni installait le siège-auto et me confiait tout le nécessaire. Sandy s'approcha de moi et me tendit une enveloppe :

— J'aimerais que Tyler lise cette lettre quand il sera plus grand.

Elle me remit également son journal intime et une grande enveloppe remplie de photos prises le jour de la naissance. Je les plaçai dans le vide-poches de ma portière. Elles constitueraient une preuve en attendant d'avoir fait analyser l'ADN de Tyler.

Claire démarra, et dès que nous eûmes quitté Taylor Creek, j'allongeai le siège passager et me mis à sommeiller, rouvrant les yeux et me retournant toutes les dix minutes pour vérifier que Tyler allait bien.

Qu'allait-il advenir de ce bébé ?

Vivrait-il une enfance heureuse ?

Le crépuscule s'abattait sur Bryant Street lorsque nous arrivâmes sur le parking. Conklin nous attendait à côté de sa voiture en faisant tourner son trousseau de clés autour de son index.

Il s'approcha de nous, ouvrit la portière arrière et contempla longuement le bébé.

— Qu'il est mignon ce petit bout ! s'exclama-t-il. Alors, Linds ? Quelle est la suite du programme ?

— On va attendre quelques heures avant de contacter les services de protection de l'enfance, répondis-je en dépliant mes jambes douloureusement engourdies.

J'étreignis Claire pour lui dire au revoir, puis allai détacher le siège-auto et grimpai à l'arrière de notre voiture de patrouille tandis que Conklin prenait place derrière le volant.

— Avis Richardson a utilisé son téléphone portable à Tijuana pour appeler ses parents, m'apprit-il. C'était il y a douze heures.

— Voilà ce qu'on va faire, Rich. On va aller voir les Richardson avec le bébé et leur demander d'appeler Avis sur son portable, quitte à ce qu'ils lui laissent un message s'ils n'arrivent pas à la joindre. Il suffit qu'ils lui disent qu'ils ont récupéré le petit. Après ça, on réclame une surveillance de leur ligne téléphonique et on emmène le bébé à St. Francis. Là-bas, on organise une planque en attendant qu'Avis vienne voir son fils. On place aussi une deuxième équipe près de l'hôtel.

— Et si elle ne se pointe pas ?

— À ce compte-là, j'aviserai. Crois-moi, je trouverai quelque chose.

— Ça marche pour moi !

82

Sonja et Paul Richardson nous attendaient dans le couloir devant la porte de leur suite. L'espoir et la joie illuminaient leurs visages.

Ils se précipitèrent vers nous dès qu'ils nous virent sortir de l'ascenseur. Je serrai Tyler dans mes bras tandis que j'expliquais à Sonja que la loi nous obligeait à remettre le bébé à l'hôpital et qu'il incomberait aux services de protection de l'enfance de statuer sur son sort.

— Mais je savais que vous voudriez le voir avant, poursuivis-je en tendant le petit à sa grand-mère.

Ce fut un instant magique.

Des larmes de bonheur ruisselaient sur le joli visage de Sonja. Son mari passa un bras protecteur autour de ses épaules et posa doucement sa main sur la poitrine de son petit-fils.

— Merci infiniment de l'avoir retrouvé, fit Sonja en levant les yeux vers moi.

— C'est un grand jour, ajouta son mari. Un grand jour.

Nous entrâmes dans leur suite et nous installâmes autour de la table basse afin d'avoir une conversation sérieuse. Je pris la parole :

— Sonja, Paul, nous devons absolument joindre votre fille. C'est elle qui a fait paraître une annonce sur Prattslist – nous en avons une copie. Elle a mis son bébé en vente et touché une somme de vingt-cinq mille dollars, ce qui la rend coupable de trafic d'enfant. Nous détenons également une copie du contrat qu'elle a signé.

— Avis est actuellement au Mexique, embraya Conklin. Cela signifie qu'elle sera extradée dès son arrestation. Si Ritter est avec elle, il sera coupable d'avoir aidé une mineure à traverser la frontière. Son cas risque d'occuper un bataillon d'avocats pour plusieurs années.

— Mais votre fille étant mineure, si elle accepte de revenir de son plein gré, nous pourrons essayer de l'aider. Nous interviendrons auprès du procureur afin qu'elle soit placée dans un établissement pour délinquants juvéniles. En revanche, si nous sommes obligés de faire une demande d'extradition auprès des autorités mexicaines... (Je haussai les épaules.) Croyez-moi, il vaut mieux qu'elle ne soit pas jugée comme une adulte.

Le mari et la femme échangèrent un regard.

Paul Richardson poussa un long soupir.

— Avis est dans la chambre, déclara-t-il. Jordan est là lui aussi.

83

— Emmenez le bébé dans la cuisine, demandai-je aux Richardson. Allongez-vous par terre avec lui. Tout de suite.

Le couple eut l'air surpris mais les deux s'exécutèrent.

Je sortis mon arme, Rich fit de même, et nous nous postâmes de part et d'autre de la porte de la chambre.

— Avis Richardson, Jordan Ritter, c'est le sergent Boxer qui vous parle. Sortez d'ici les mains en l'air.

Il y eut plusieurs secondes de silence, mais avant que Rich n'enfonce la porte d'un coup de pied, la voix de Ritter nous parvint :

— Nous ne sommes pas armés, sergent.

La porte s'ouvrit et Ritter sortit le premier, les mains sur la tête. Il n'était pas rasé et son visage était brûlé par le soleil, pourtant il semblait tout droit sorti d'une publicité pour une marque de vêtements de luxe.

Rich le plaqua contre le mur, le fouilla et lui passa les menottes tandis qu'Avis se précipitait hors de la chambre.

Elle aussi avait les mains en l'air, mais elle agitait l'un de ses doigts pour attirer mon attention sur une alliance en or.

— On s'est mariés ! s'écria-t-elle. Nous sommes mari et femme.

— Félicitations, fis-je en même temps que je la retournai pour la projeter contre le mur avec une grande satisfaction.

De nouveau, je mourais d'envie de lui flanquer une énorme gifle. Au lieu de ça, je la menottai et déclarai :

— Avis Richardson, vous êtes en état d'arrestation pour trafic d'enfant, négligence d'enfant et entrave à la justice. Vous avez le droit de garder le silence...

À ce moment-là, Sonja et Paul Richardson accoururent pour entourer leur fille. Le bébé, dans les bras de sa grand-mère, s'était mis à hurler.

Sur ma gauche, Conklin expliquait à Jordan Ritter qu'il était en état d'arrestation pour kidnapping et détournement de mineure.

— Je veux voir mon fils ! s'exclama Ritter tandis que Conklin lui lisait ses droits.

Je vins coller mon visage à trois centimètres du sien :

— Vous, fermez votre grande gueule !

J'appelai ensuite une ambulance pour le bébé.

— Que va-t-il se passer pour Avis ? me demanda Paul Richardson.

— Elle va être placée en détention jusqu'à sa comparution initiale. Je vous suggère d'engager un bon avocat. Et à votre place, je ferais également en sorte de faire annuler le mariage entre votre fille et cette ordure.

QUATRIÈME PARTIE

LE BRISE-CŒUR

84

J'ouvris les yeux et lus les informations projetées au plafond par le réveil de Joe – 11 octobre / 06 : 02 / température extérieure : 12 degrés.

Je m'étais réveillée préoccupée par une pensée qui à présent m'échappait.

Joe s'agita à côté de moi :

— Tu ne dors plus, Blondie ?

— Désolée de t'avoir réveillé. Je crois que j'ai fait un rêve.

— Tu veux me le raconter ?

Je tentai de me le remémorer, mais impossible. Qu'est-ce qui me tracassait ainsi ? Joe était avec moi, en sécurité. Le bébé d'Avis était à St. Francis, en parfaite santé. Puis ça me revint.

Candace Martin.

Je m'étais réveillée en pensant à elle.

Je commençai à expliquer à Joe la raison pour laquelle cette femme surfait sur mes ondes cérébrales nocturnes, mais il ronflait déjà contre mon épaule.

Je me dégageai doucement de son étreinte et posai mes pieds sur le sol.

— Qu'est-ce que tu fais ? demanda Joe.

— Je dois partir travailler. Je t'appelle tout à l'heure.

Je l'embrassai sur la joue, passai la main dans ses cheveux et remontai la couette sous son menton. Un claquement de doigts, et Martha bondit sur le lit. Elle tourna un instant sur elle-même puis se blottit à l'endroit que je venais de quitter.

Moins d'une heure plus tard, je débarquai au palais de justice avec deux thermos de café.

Je gravis à toute vitesse l'escalier de service jusqu'au huitième étage, ouvris d'un coup de coude la porte du palier et m'engageai dans un long couloir labyrinthique.

Yuki était assise à son bureau, penchée au-dessus de son ordinateur portable. Ses cheveux bruns, lisses et brillants, séparés par une raie au milieu, pendaient de chaque côté de son visage. Mon ombre traversa son bureau.

— Hé ! fit-elle en levant les yeux vers moi. Salut, Lindsay. Qu'est-ce qui t'amène ?

— Quelque chose qui me turlupine. Tu pourrais me montrer la photo où on voit Candace Martin dans une voiture avec Gregor Guzman ?

— Pourquoi ? (Elle tendit le bras et s'empara d'une des deux thermos que j'avais apportées.) Ça ne t'ennuie pas, au moins, que je te demande pourquoi tu cherches encore à venir fourrer ton nez dans cette affaire ?

— S'il te plaît, Yuki. Je t'assure que quelque chose me tracasse avec cette photo.

Yuki me dévisagea longuement, puis se tourna vers son écran et ouvrit le dossier contenant le cliché. Elle fit pivoter son ordinateur face à moi.

— Tu peux m'en faire une copie ?

Yuki secoua la tête, mais en même temps, j'entendis le bruit de l'imprimante qui se déclenchait. Quelques secondes plus tard, une photo en noir et blanc apparaissait dans le bac. Yuki me tendit la feuille.

— Tu as de la chance, je suis pressée, me dit-elle. Le juge veut me voir dans son cabinet. Je ne suis de nouveau plus en odeur de sainteté. Un conseil, Lindsay : ne me fous pas dans la merde.

Je lui souhaitai bonne chance pour son entrevue avec LaVan et m'enfuis bien vite avant qu'elle ne change d'avis.

85

Quelques minutes après avoir quitté le bureau de Yuki, je signai le registre à l'entrée de la prison pour femmes située au septième étage. Le fracas des portes et les vociférations des détenues résonnaient autour de moi tandis qu'on m'escortait jusqu'à une petite salle de conférences.

Candace Martin se présenta peu de temps après. Elle m'observa pendant que le gardien lui ôtait ses menottes, puis alla s'asseoir face à moi, de l'autre côté de la table métallique couverte d'éraflures.

— Je ne m'attendais pas à vous voir, me dit-elle.

Candace n'était pas maquillée ; ses cheveux n'étaient pas passés entre les mains d'un coiffeur depuis plus d'un an, et la combinaison orange qu'elle portait lui donnait un teint blafard.

Pour autant, elle ne s'était pas départie de sa dignité et de sa prestance.

— Il ne s'agit pas d'une visite officielle, répondis-je.

— J'espère que vous avez quand même de bonnes nouvelles à m'annoncer.

Je sortis de ma poche la copie de la photo et la plaçai devant elle sur la table.

— J'aimerais que vous regardiez cette photo et que vous m'expliquiez ce que vous faisiez avec cet homme dans cette voiture.

— J'ai déjà vu cette photo, et je peux vous certifier que ce n'est pas moi.

Le néon suspendu au-dessus de nos têtes éclairait chaque centimètre carré de la pièce de toute la puissance de ses trois cents watts. Dans un coin, la caméra de surveillance dardait sur nous son œil rouge vif tandis que Candace faisait glisser la photo vers elle pour l'examiner de plus près.

— Je ne connais aucune de ces deux personnes, ajouta-t-elle. (Elle s'interrompit, puis, comme si une pensée venait de la frapper, elle étudia attentivement la photo et me demanda :) Que voyez-vous dans la main de cette femme ?

Elle poussa vers moi la photo en noir et blanc. La femme avait la tête inclinée vers l'avant ; ses cheveux blonds masquaient en partie son visage et elle semblait tenir dans sa main une chaînette accrochée autour de son cou. On distinguait l'éclat d'un pendentif.

— Ça ressemble à une sorte de breloque.

— Est-ce que ça pourrait être une croix ? s'enquit Candace.

— Ça pourrait.

— Je ne possède pas ce genre de bijoux. En revanche, je sais qu'Ellen Lafferty porte une croix autour du cou. Elle ne la quitte jamais. Je me demande d'ailleurs ce que cela signifie pour elle.

86

Candace Martin était attendue dans la salle d'audience une heure plus tard, et si j'étais presque persuadée de son innocence, je ne pouvais pour autant me permettre de « foutre Yuki dans la merde ». D'un autre côté, chaque jour qui passait voyait se rapprocher pour Candace la perspective d'une condamnation pour meurtre.

S'il risquait d'être difficile de convaincre le tribunal qu'ils avaient intenté une action en justice à la mauvaise personne, cela se révélerait un jeu d'enfant en comparaison avec l'annulation d'une condamnation pour meurtre.

Je redescendis en trombe jusqu'au hall d'entrée, composai un numéro sur mon téléphone portable et attendis que Joseph Podesta décroche. Le détective privé me répondit d'une voix ensommeillée, mais il accepta malgré tout de me rencontrer dans une vingtaine de minutes.

Je traversai Bay Bridge et roulai jusqu'à Lafayette. Le ranch de Podesta était situé sur Hamlin Road, une rue plantée d'arbres de différentes essences, qui accueillait des maisons semblables à la sienne. Je me garai dans l'allée de son garage, gravis les marches en pierre qui serpentaient à travers son jardin de rocaille et pressai le bouton de la sonnette.

Podesta m'ouvrit la porte. Il était pieds nus et portait un survêtement où étaient restées accrochées quelques miettes de pain. Je lui présentai mon badge ; il m'invita à entrer et me conduisit dans son bureau, au fond de la maison.

Je parcourus du regard le matériel d'espionnage exposé sur ses étagères tandis qu'il s'installait devant son ordinateur. Il souleva un gros chat tigré qui dormait sur son bureau et le posa sur ses genoux.

— Je tiens à vous dire que si mon client n'était pas mort, j'aurais refusé de vous montrer ces photos sans un mandat en bonne et due forme.

— J'apprécie votre aide, monsieur Podesta.

Le détective ouvrit le dossier contenant les photos montrant Candace Martin assise dans une voiture au côté d'un homme identifié comme étant Gregor Guzman, tueur à gages recherché par la police dans plusieurs États, ainsi que dans plusieurs pays étrangers.

Le premier cliché était celui que Yuki m'avait imprimé un peu plus tôt dans la matinée.

— Je sais que la qualité de ces images est franchement mauvaise, mais le problème, c'est que je ne pouvais pas me permettre d'utiliser un flash. Je ne peux pas affirmer que l'homme est bien Gregor Guzman, mais je vous garantis que la femme est bien Candace Martin. Je l'avais suivie depuis sa maison de Monterey Boulevard jusqu'à la bretelle nord de l'I-280. Elle est sortie au niveau de Cesar Chavez Street, puis elle a tourné à droite dans la 3ᵉ, et encore à droite un peu plus loin, dans Davidson Avenue.

» C'est un endroit un peu craignos, je ne vous apprends rien, sergent. Un vrai coupe-gorge en même temps qu'une espèce de dépotoir à ciel ouvert. Je devais faire gaffe. J'aurais pu me faire agresser, et elle aussi.

» Je l'ai vue descendre de sa Lincoln et monter dans le SUV de ce type. Elle en est ressortie dix minutes plus tard.

— Vous pourriez me graver ces photos sur CD ?

— Eh bien... après tout, pourquoi pas ?

L'ordinateur se mit à vrombir, faisant concurrence au ronronnement du chat.

Je repartis peu de temps après, munie d'un CD rempli de photos granuleuses prises quelques semaines avant la mort de Dennis Martin.

87

À 9 heures et quart, j'étais de retour dans les locaux de la brigade criminelle, mon deuxième foyer.

Je posai ma veste sur le dossier de ma chaise, puis me rendis en salle de pause où Conklin était en train d'engloutir un doughnut, penché au-dessus de l'évier, sa cravate jaune rabattue sur l'épaule.

— Yo ! me salua-t-il. Je t'en ai gardé un.

— Merci, mais je n'ai pas faim. Viens, j'ai quelque chose à te montrer.

— Une surprise ? Je te trouve bien mystérieuse.

— Viens, je te dis.

Chi était assis à son bureau, son ordinateur allumé, sa tasse de café posée sur une serviette en papier, une bonne trentaine de stylos alignés à côté de son tapis de souris.

Je lui tendis le disque que Joseph Podesta m'avait gravé :

— Ça ne te dérange pas, Paul ? J'aimerais que tu y jettes un coup d'œil, toi aussi.

Nous étudiâmes un à un les dizaines de clichés pris par Podesta. Conklin demanda à Chi d'en agrandir un en particulier, plus net que les autres, afin de voir si ce que la femme tenait dans sa main pouvait correspondre à une petite croix en or. Mais plus Chi zoomait sur le supposé pendentif, plus celui-ci devenait flou.

— Je ne peux pas faire mieux, dit Chi en observant l'assemblage de points gris qui formaient une sorte de composition abstraite. Tu penses à quoi ?

— Tu pourrais analyser l'image avec le logiciel de reconnaissance faciale ?

— C'est comme si c'était fait, répondit Chi en lançant le programme.

Deux fenêtres apparurent à l'écran pour comparer les photos d'identité de Candace Martin avec celle de la femme blonde assise dans la voiture.

Chi se tourna vers nous, et je vis briller dans ses yeux une fugace lueur d'enthousiasme :

— Je ne sais pas qui est cette femme, mais une chose est sûre... il ne s'agit pas de Candace Martin.

Il programma ensuite le logiciel pour comparer la photo de l'inconnue avec les dizaines de milliers de photos présentes dans la base de données.

Je commençais à perdre espoir lorsque, miracle, l'ordinateur finit par établir une correspondance.

88

Conklin et moi montâmes à bord d'une voiture de patrouille et nous élançâmes en direction du James Lick Freeway. Une fois sur l'autoroute, je songeai à toutes les raisons qui auraient pu pousser Ellen Lafferty à tuer Dennis Martin.

— Premièrement, elle était amoureuse de lui. Deuxièmement, cette relation était source de frustration. Troisièmement, elle avait accès à son arme. Et puis elle savait où trouver Dennis et où Candace se trouverait à cette heure de la soirée. Pour finir, même si ce n'est pas elle qui a tiré, elle a très bien pu commanditer son assassinat.

— Et elle est assez intelligente pour avoir fait en sorte que les soupçons se portent sur Candace, ajouta Conklin.

— Elle doit vraiment avoir une personnalité diabolique.

Quinze minutes plus tard, Conklin gara la voiture devant un immeuble de style marina à la façade peinte en jaune pâle. Construit dans les années 1920, c'était un bâtiment propret dont les fenêtres arrondies donnaient sur Ulloa Street. Il était situé à environ un kilomètre et demi de la maison des Martin.

Je pressai le bouton de la sonnette.

— J'arrive ! fit la voix d'Ellen Lafferty.

Elle ouvrit la porte

— SFPD, lança Conklin en montrant son badge à la jeune femme. Je me présente : inspecteur Richard Conklin, et voici le sergent Lindsay Boxer.

Ellen Lafferty hésita un instant, puis s'effaça pour nous laisser entrer.

J'avais assisté au témoignage de Lafferty depuis le fond de la salle d'audience quelques jours plus tôt, et elle m'avait paru très mature, avec ses talons hauts et son costume tailleur. Ce jour-là, en jean et pull blanc à col roulé, ses cheveux auburn coiffés en queue-de-cheval, elle ressemblait à une adolescente.

Conklin accepta la tasse de café qu'elle lui proposa, et je m'attardai dans le salon tandis qu'elle le conduisait vers la cuisine.

Un rapide coup d'œil me permit de repérer cinq photos de Dennis Martin, dont certaines où il posait avec Lafferty. Il n'y avait pas à dire, Martin était bel homme.

Je levai les yeux comme Conklin et l'ancienne nounou des enfants Martin revenaient dans la petite pièce. La jeune femme affichait un sourire forcé. Elle s'installa dans un fauteuil :

— Je croyais que l'enquête était terminée depuis longtemps.

— Disons que nous aimerions vérifier certains détails. Enfin... un détail en particulier.

Je sortis la photo de la poche intérieure de ma veste et la plaçai sur la table basse.

— De quoi s'agit-il ? demanda Lafferty en se penchant pour l'observer.

— L'homme que vous voyez sur cette photo est probablement un tueur à gages du nom de Gregor Guzman. La femme ressemble à s'y méprendre à Candace Martin. Mêmes cheveux blonds, même coupe. Sauf que ce n'est pas elle... N'est-ce pas, Ellen ?

— Difficile à dire.

— Vous voulez que je vous dise pourquoi on sait que ce n'est pas Candace Martin ? intervint Conklin. Eh bien, nous avons analysé cette photo à l'aide d'un logiciel de reconnaissance faciale, et figurez-vous que l'ordinateur a établi une correspondance entre cette femme et... vous-même, mademoiselle Lafferty !

À ces mots, il s'approcha de la cheminée et s'empara d'un cadre doré contenant une photo de Dennis et d'Ellen sur un voilier. Le cliché avait été pris dans la baie de San Francisco.

— Laissez ça, fit Lafferty en se levant pour lui arracher le cadre des mains.

— Je pense que le juge LaVan acceptera de nous délivrer un mandat de perquisition afin de fouiller votre appartement. En attendant, nous allons poursuivre cet interrogatoire au poste de police.

Je sortis mon téléphone portable pour appeler une voiture de patrouille, mais avant que j'aie eu le temps de composer le numéro, Ellen s'écria :

— Attendez ! Je vais vous dire tout ce que vous voulez savoir.

89

Si Ellen Lafferty n'avait pas cherché à engager un tueur à gages, alors comment s'était-elle retrouvée dans la voiture de Gregor Guzman ? J'avais hâte d'entendre son explication.

— Je vous jure que je n'ai rien fait de mal. En tout cas rien de criminel.

Elle s'interrompit, passa la main sous le col de son pull pour sortir la petite croix en or qu'elle portait en pendentif au bout d'une fine chaîne, et se mit à le tripoter d'un geste nerveux – un tic ô combien révélateur.

— C'est Dennis qui m'avait envoyée rencontrer ce monsieur G. sur le parking d'un supermarché. Il m'avait confié une enveloppe avec de l'argent que je devais lui remettre, mais quand le type l'a ouverte, il me l'a tout de suite rendue en disant : « Vous expliquerez à M. Martin que je ne suis pas intéressé. »

— Il vous aurait donc rendu l'argent ? questionna Rich.

Ellen hocha la tête.

— Vous êtes en train de nous dire que vous êtes allée à la rencontre d'un inconnu simplement parce que Dennis vous l'avait demandé, que vous lui avez remis de l'argent dont il n'a pas voulu, et que vous ignoriez tout de la raison pour laquelle vous deviez faire ça ?

— Je ne savais pas que c'était un tueur à gages. Je l'ai découvert lors du procès. J'étais seulement chargée de lui remettre l'enveloppe. Je vous jure que je vous dis la vérité.

— On ne vous reproche rien, intervint Conklin. On essaie simplement de reconstituer certains faits.

— Expliquez-nous pourquoi vous aviez les cheveux blonds.

— C'était une perruque, bredouilla Lafferty. Candace la portait à l'époque où elle suivait une chimiothérapie. Je l'ai récupérée quand elle a voulu s'en débarrasser. Dennis aimait bien que je la mette de temps en temps. Vous voulez la voir ?

Elle quitta la pièce quelques instants.

— Tu penses vraiment que cette fille a pu embaucher un tueur à gages ? me demanda Conklin.

— Je ne sais pas. J'ai l'impression d'être encore plus dans le flou qu'après m'être réveillée ce matin.

J'observai le portrait romantique d'Ellen et Dennis Martin, et repensai de nouveau à tous les éléments de cette affaire.

Ellen avait-elle engagé Guzman pour tuer Dennis, ou bien était-elle l'intrus décrit par Candace, et donc l'assassin ? Et Dennis ? Avait-il organisé une rencontre entre Lafferty et Guzman afin de tromper le détective privé en l'amenant à croire que Candace avait pris contact avec un tueur à gages ?

Dans ce cas, Candace avait-elle tué son mari avant que lui-même ne la tue ?

Tandis que j'envisageais les différentes hypothèses, Ellen revint avec un petit sac en satin noir. Elle l'ouvrit et en sortit une perruque blonde.

— Je la portais surtout quand on faisait l'amour, expliqua-t-elle.

— Que je comprenne bien, fis-je, incapable de me retenir. Votre amant aimait vous voir porter la perruque de sa femme lors de vos ébats ? Vous ne trouviez pas ça un peu bizarre ?

Des larmes perlèrent au coin de ses yeux.

— Et merde, marmonnai-je.

Apprendrais-je un jour à devenir un bon flic ? Conklin s'empara du sac et se tourna vers Lafferty :

— Vous allez devoir nous accompagner au poste, Ellen.

— Ça veut dire... que vous m'arrêtez ?

— Nous devons consigner par écrit tout ce que vous venez de nous dire.

Tandis que mon coéquipier conduisait Ellen jusqu'à la voiture, je sortis mon téléphone portable et contactai Yuki. Je tombai sur son répondeur.

— Yuki, il va me falloir un mandat de perquisition pour fouiller l'appartement d'Ellen Lafferty. Rappelle-moi dès que possible, je t'expliquerai tout en détail. Et, euh... tu verras, je crois que tu me remercieras.

J'espérais ne pas me tromper.

90

Yuki s'installa à côté de Phil, face à LaVan. Le bureau du juge était recouvert d'un large sous-main en cuir, et la pièce décorée dans un style rappelant les ambiances de chasses au renard : tableaux représentant des hommes en vestes rouges montés sur des chevaux bais, meubles en bois massif et murs tendus d'un tissu vert sombre.

Les yeux du juge paraissaient rougis derrière ses lunettes tandis qu'il expliquait de la façon la plus lapidaire possible la raison qui l'avait amené à s'absenter durant trois jours.

— Je viens de perdre ma mère qui était atteinte d'un cancer du poumon. Ç'a été très dur.

Les deux avocats lui présentèrent leurs condoléances ; LaVan hocha lentement la tête, puis s'éclaircit la gorge et déclara :

— Je vous préviens, je n'accepterai pas de voir se reproduire le même foutoir que la dernière fois.

Mademoiselle Castellano, vous savez mener un interrogatoire sans le transformer en réquisitoire, alors tâchez de vous contrôler. Quant à vous, monsieur Hoffman, je vous prierais à l'avenir de bien vouloir contenir les débordements de vos témoins.

Yuki aurait voulu protester, mais le juge ne laissait planer aucun doute : il souhaitait en finir avec ce procès, et ce dans les meilleures conditions.

— Voici les nouvelles règles, poursuivit LaVan comme s'il lisait dans ses pensées. En cas d'objection, vous vous lèverez. Je suis suffisamment intelligent et expérimenté pour savoir décrypter votre intention. Si je considère que l'objection n'a pas lieu d'être, je vous ferai signe de vous rasseoir. Dans le cas contraire, j'interviendrai auprès de l'avocat de la partie adverse – mais j'espère ne pas avoir à en arriver là.

— Votre Honneur ! s'exclamèrent Hoffman et Yuki à l'unisson.

— Et fini les attitudes théâtrales et les effets de manche. Dorénavant, je n'hésiterai plus à vous sanctionner pour outrage à la cour. C'est bien compris ?

Phil et Yuki restèrent cois.

— Bien. Je vous verrai lors de l'audience.

— C'est une plaisanterie, fit Hoffman à Yuki lorsqu'ils eurent quitté le cabinet du juge. (Ils longèrent le couloir en direction de la salle d'audience.) Il ne peut pas nous demander de ne plus nous objecter !

— Il faut croire que si, répondit Yuki.

Un sourire éclaira le visage d'Hoffman.

— J'ai un rendez-vous. À tout à l'heure.

91

Phil Hoffman se leva, dressa fièrement les épaules et lança :

— La défense appelle Caitlin Martin à la barre.

Aussitôt, Candace Martin bondit de son siège.

— Hors de question ! s'écria-t-elle. Je vous interdis d'interroger ma fille !

Le juge LaVan abattit son marteau :

— Huissier, veuillez faire sortir l'accusée !

— Asseyez-vous, Candace. Votre Honneur, je sollicite l'autorisation de m'entretenir brièvement avec ma cliente.

— Monsieur Hoffman, je me vois contraint de vous infliger une amende de huit cents dollars. Si vous aviez préparé l'audience avec votre cliente, cet incident ne se serait pas produit. Huissier !

Une fois Candace Martin escortée hors de la salle, le juge ordonna le silence, attendit que l'assistance se taise puis demanda aux jurés de ne pas tenir compte de cette interruption.

Il leur rappela qu'ils étaient tenus de délivrer un jugement en se fondant sur les éléments de preuve et non sur le chahut constaté lors des audiences. Il ajouta que la décision d'exclure l'accusée de la salle ne devait en aucun cas influencer leur réflexion.

— Vous pouvez appeler votre témoin, monsieur Hoffman, dit-il ensuite.

L'avocat affichait une expression neutre tandis que la fillette de onze ans s'avançait vers la barre, prêtait serment et s'installait sur le siège réservé aux témoins. En raison de sa taille, la petite éprouva quelques difficultés à s'y hisser – ses pieds touchaient à peine le sol.

Le juge se tourna vers l'enfant aux cheveux bruns vêtue d'une robe à fleurs et d'un gilet bleu, un petit sac assorti posé sur ses genoux.

— Mademoiselle Martin, connaissez-vous la différence entre le mensonge et la vérité ?

— Oui, monsieur.

— Si je vous disais que je suis le président des États-Unis, est-ce que ce serait un mensonge ou bien la vérité ?

— Un mensonge, bien sûr.

— Croyez-vous en Dieu ?

Caitlin hocha la tête.

— Vous devez répondre par oui ou par non. Le greffier écrit tout ce que vous dites.

— Oui, je crois en Dieu.

— Bien. Vous comprenez que vous avez juré devant Dieu de dire la vérité ?

— Oui, monsieur. Je comprends.

— Parfait. C'est à vous, monsieur Hoffman.

— Merci, Votre Honneur. Caitlin... Dis-moi, ça ne te dérange pas si je t'appelle Caitlin ?

— Pas du tout, monsieur Hoffman.

Un sourire se dessina sur le visage de l'avocat. Un beau sourire. Un sourire franc.

— Caitlin, je vais te poser plusieurs questions concernant le soir où ton père a été tué. C'est d'accord ?

— D'accord.

— Étais-tu dans la maison lorsque ton père s'est fait tirer dessus ?

— Oui.

— Sais-tu qui est la personne qui lui a tiré dessus ?

— Oui.

— Pourrais-tu dire au juge et aux jurés ce que tu sais ?

— C'est moi qui ai tiré, déclara Caitlin. (Son regard se posa sur le juge puis revint sur l'avocat de sa mère.) C'est moi qui ai tué mon père. Je n'avais pas le choix.

92

Une rumeur enfla dans la salle jusqu'à devenir un véritable tumulte.

Les jurés échangèrent des regards et se mirent à discuter entre eux tandis que les journalistes fondaient sur leurs PDA. Hoffman, lui, resta figé, comme si c'était lui qui venait de tirer un coup de feu.

Yuki aurait voulu rembobiner les dix dernières secondes et les repasser en montant le son. Caitlin Martin venait-elle vraiment de s'accuser du meurtre de son père ?

C'était tout bonnement impossible !

Yuki bondit sur ses pieds, les poings serrés, les mâchoires si crispées qu'on les aurait crues verrouillées par un cadenas. Malgré la mise en garde du juge, elle brûlait de hurler : « Objection ! Ce témoin n'aurait jamais dû venir à la barre ! »

— Monsieur Hoffman, mademoiselle Castellano, appela le juge LaVan. Approchez, s'il vous plaît.

Comme les deux avocats se dirigeaient vers lui, le juge pivota sur son fauteuil pour tourner le dos à la témoin et aux jurés.

— Monsieur Hoffman, commença le juge à voix basse, j'en déduis que ni votre cliente, ni la partie adverse ne savaient que vous comptiez appeler cette enfant à la barre ?

— J'ai reçu un appel de la grand-mère maternelle de la petite hier soir. Elle m'a dit que Caitlin voulait absolument me parler. Je l'ai rencontrée tout à l'heure, dans le hall d'entrée – juste après notre rendez-vous dans votre cabinet. Il y a encore un quart d'heure, j'ignorais tout de ce témoignage.

— Votre Honneur, intervint Yuki, il s'agit clairement d'une manœuvre orchestrée par la défense. Caitlin a probablement été briefée, ou bien elle a eu cette idée par elle-même, je ne sais pas, mais il est certain qu'elle essaie de sauver sa mère de la prison. Et dans un cas comme dans l'autre, elle a créé un doute raisonnable dans l'esprit des jurés.

— Je vais suspendre la séance, et j'aimerais m'entretenir avec Caitlin dans mon cabinet. Restez dans les parages. Dès que j'aurai parlé avec la petite, j'irai voir les jurés. Et après ça, nous pourrons discuter de la suite à donner à ce procès.

93

Yuki se trouvait dans le bureau de Len Parisi lorsqu'elle reçut un texto sur son téléphone portable. Elle lut le message à voix haute :

— « Le juge LaVan vous attend dans son cabinet. » Un conseil, Len ?

Parisi hissa péniblement son imposante carcasse hors de son fauteuil, s'approcha de la fenêtre et contempla pensivement la rue. Dehors, un épais brouillard enveloppait le paysage.

— Il faut contre-interroger le témoin, dit-il au bout d'un moment. C'est ce qu'il y a de mieux à faire. À vrai dire, je ne vois pas d'autre solution.

— Et si elle dit la vérité ?

— C'est ce que tu penses ?

— Je pense qu'elle joue le tout pour le tout. C'est une gamine de onze ans. Elle veut accomplir un acte héroïque, comme dans les films. Mais pour moi, il est évident qu'elle ment. Je peux toujours la cuisiner à la barre, mais en faisant ça, je risque de me mettre les jurés à dos.

— C'est sûr que la tâche ne sera pas facile – un peu comme marcher sur une corde raide avec la diarrhée –, mais je suis certain que tu y arriveras.

Yuki quitta le bureau de Parisi et longea le couloir en pilotage automatique. Phil Hoffman se leva lorsqu'elle entra dans le cabinet du juge. Il attendit qu'elle s'installe sur le siège qu'elle occupait encore quelques heures plus tôt pour se rasseoir.

LaVan avait ôté sa robe et sa cravate. Manches remontées, il se tenait debout derrière son bureau. Yuki s'attendait à le voir arpenter la pièce, mais au lieu de ça, il se pencha pour ramasser sa corbeille en métal et la projeta violemment contre le mur. Elle ricocha sur la cave à liqueurs, puis percuta le bord inférieur d'un cadre en verre renfermant une photo du juge en compagnie du gouverneur.

Après l'explosion de verre et le fracas qui se répercuta en écho dans la pièce, LaVan demanda :

— Je vous sers un verre ? C'est ma tournée.

— Je ne dis pas non à un scotch, répondit Hoffman.

— Non merci, fit Yuki.

Rien dans son parcours professionnel ne l'avait préparée à un procès qui dérapait toutes les vingt minutes. Allait-elle gagner ou perdre ? Elle n'en avait pas la moindre idée.

Le juge servit deux verres, en tendit un à Hoffman, puis regagna son fauteuil.

— Dites-moi, Phil, connaissez-vous la différence entre le mensonge et la vérité ?

— Oui, Votre Honneur. Je sais que vous n'êtes pas le président des États-Unis.

— Avez-vous contribué d'une manière ou d'une autre à façonner le témoignage de Caitlin Martin ?

— Non. Comme je vous l'ai dit, elle est venue me parler ce matin à 9 heures moins le quart. Elle m'a raconté ce qui s'est passé le soir du meurtre et j'ai décidé d'annuler un autre témoin devenu inutile pour la faire venir à la barre.

— J'aimerais procéder à un contre-interrogatoire, intervint Yuki. Je dois absolument discréditer ce témoignage.

— Un instant, Yuki, fit le juge. Laissez-moi d'abord vous relater ce que Caitlin m'a raconté pendant la demi-heure que j'ai passée avec elle. C'est dans votre intérêt.

— Je vous écoute.

— Elle m'a expliqué que son père avait un comportement déplacé vis-à-vis d'elle. Elle s'est montrée à la fois très explicite et très convaincante. Elle savait où le pistolet était caché, et lorsque l'occasion s'est présentée, elle en a profité pour lui tirer dessus.

— Vous la croyez ? demanda Yuki.

— J'ai eu beau essayer, je ne suis pas parvenu à la prendre en défaut. Selon elle, sa mère a entendu les coups de feu et l'a trouvée avec l'arme à la main. Elle lui a demandé d'aller se laver, de rester dans sa chambre et de ne parler à personne de ce qui s'était passé. Toujours selon Caitlin, sa mère s'est ensuite rendue devant la maison pour tirer un coup de feu avant d'appeler la police.

— Oui, l'histoire se tient, commenta Yuki. Et qu'est-ce qui l'a décidée à parler ?

— Elle voulait dire la vérité.

— Byron, intervint Hoffman. Je veux dire, Votre Honneur. Ces aveux viennent innocenter ma cliente, et je souhaite plaider la relaxe.

94

Yuki fixa le juge sans le voir ; ses pensées tourbillonnaient dans sa tête et elle n'était pas loin de céder à la panique.

Elle ne voulait surtout pas d'un non-lieu, pas après tout le temps et l'énergie qu'elle avait consacrés à cette affaire – d'autant qu'elle était persuadée de la culpabilité de Candace Martin. Que se passerait-il si jamais le juge décidait de prononcer un non-lieu ?

Déciderait-elle d'engager des poursuites contre une enfant de onze ans qui se disait victime de viols répétés de la part de son père ?

Et sur la base de quelles charges ?

Le seul élément contre Caitlin, c'était son propre témoignage. Personne ne l'avait vue utiliser le pistolet. Et même si Candace Martin venait à affirmer que c'était Caitlin qui avait tiré, l'affaire restait sujette au doute raisonnable et le grand jury pouvait fort bien décider de ne pas l'inculper.

D'un autre côté, si le juge refusait de prononcer un non-lieu, Yuki allait devoir se livrer à un exercice de haute voltige : amener les jurés à considérer cette fillette victime d'inceste comme une menteuse, et risquer par là même de s'attirer leur antipathie. Et s'ils croyaient à l'histoire de Caitlin, Candace ressortirait libre de la salle d'audience.

— Yuki ? Vous voulez dire quelque chose ?

— Oui, Votre Honneur. Je tiens à souligner le fait qu'aucune preuve ne vient accréditer le témoignage de Caitlin. Si cette histoire est vraie, comment se fait-il qu'elle ne sorte que maintenant ?

Phil Hoffman se tourna vers elle :

— Faites preuve d'un peu de bon sens, Yuki. Il existe bien plus qu'un doute raisonnable. Nous savons tous les deux que si le procès se poursuit, il y a de grandes chances pour que Candace soit acquittée.

— Je vais vous faciliter la tâche, fit LaVan. Après avoir pris connaissance du témoignage de Caitlin Martin, j'ai décidé de prononcer un non-lieu.

Si LaVan s'en tenait à cette décision, tout était perdu pour Yuki. Il n'y aurait plus aucun retour en arrière possible. Candace ne pourrait même pas être jugée une seconde fois, car se poserait alors le problème de la double incrimination. Soudain, Yuki entraperçut une lueur d'espoir.

— Avec tout le respect que je vous dois, Votre Honneur, je vous suggère plutôt de suspendre le procès.

LaVan fit pivoter son fauteuil et resta un long moment songeur. L'attente mit Yuki au supplice.

— OK, fit LaVan. Je vais suspendre le procès pour soixante jours. Durant cette période, l'accusée pourra être libérée sous caution. Yuki, vous allez retourner voir le procureur et lui faire part de tout ce... merdier, pour être poli. Réfléchissez aux inconvénients qu'entraînerait la poursuite du procès. Si vous tenez à contre-interroger Caitlin, sachez que je ne m'y opposerai pas.

» Dans le cas contraire, et au vu du témoignage de Caitlin, je prononcerai un non-lieu. Nous sommes d'accord ? La balle est dans votre camp jusqu'au 10 décembre.

— Bien, Votre Honneur. Je vous remercie.

— Réfléchissez bien, Yuki. (LaVan pressa le bouton de son interphone :) Apportez-moi mon agenda, Denise. Et appelez le greffier. Je dois m'entretenir avec les jurés.

95

Après avoir cherché Yuki un moment, je la trouvai dans son bureau, à l'endroit même où je l'avais quittée le matin, mais elle semblait plus petite et plus pâle, comme un peu rabougrie.

— Tu as eu mon message ? lui demandai-je.

— Je sors à l'instant du cabinet du juge. J'attends que Red Dog revienne de sa pause déjeuner. Dis-moi, de quoi j'ai l'air ?

— Une petite touche de rouge à lèvres ne serait pas du luxe. (Elle se mit à farfouiller dans son sac à main.) J'ai vu Ellen Lafferty, embrayai-je aussitôt.

Je m'attendais à une explosion de colère, mais Yuki resta sans réaction. Elle finit par dénicher un tube de gloss et un petit miroir. Je me risquai à poursuivre :

— Elle a avoué que c'était elle qui était allée voir Guzman. Il s'agit bien d'elle sur la photo, ce qui nous a d'ailleurs été confirmé par le logiciel de reconnaissance faciale.

— Elle s'était teint les cheveux ? demanda Yuki.

Sa main tremblait tandis qu'elle se remaquillait.

— Candace Martin portait une perruque pendant sa chimiothérapie, et... Ça va, Yuki ?

— Continue, je t'écoute, fit-elle tout en donnant un coup de brosse à ses cheveux, qui crépitèrent sous l'effet de l'électricité statique.

— Dennis a envoyé Lafferty rencontrer le tueur à gages en lui demandant de porter la perruque de sa femme, et il s'est arrangé pour que le détective privé les prenne en photo. Il pensait sûrement utiliser ces clichés pour forcer sa femme à accepter le divorce – ou alors il comptait réellement avoir recours aux services de Guzman. Ça, on ne le saura peut-être jamais. Écoute, je sais que tu m'en veux, alors je préfère qu'on crève l'abcès tout de suite. Vas-y, je suis prête à tout entendre.

— Caitlin Martin a avoué le meurtre de son père, et il reste maintenant deux possibilités : jouer le tout pour le tout en espérant que le jury nous suivra, ou bien LaVan prononcera un non-lieu.

— Caitlin a avoué le meurtre de son père ?

La large carrure de Len Parisi apparut soudain dans l'encadrement de la porte.

— Salut, Lindsay. Yuki, j'ai cinq minutes devant moi. C'est maintenant ou jamais.

— J'arrive, répondit Yuki.

Elle se leva et lissa les pans de sa veste. Lorsqu'elle se tourna vers moi, je vis à son regard qu'elle était de nouveau prête à mener le combat.

— Candace Martin a assassiné son mari, Lindsay. Ni Ellen Lafferty, ni Caitlin ne sont coupables. Je sais que tu la crois innocente, mais je suis persuadée de sa culpabilité et je n'aurai malheureusement pas l'occasion de le prouver. Elle va s'en tirer et bénéficier d'un non-lieu.

Yuki avait-elle raison ?

M'étais-je fourvoyée depuis le départ ?

J'ouvris la bouche pour parler, mais aucun son n'en sortit. L'instant d'après, Yuki avait disparu.

96

Après ce qui avait probablement été l'une des pires journées de sa carrière, Yuki quitta le palais de justice pour regagner son appartement. Parvenue au bas des marches, elle entendit la voix de Brady qui l'appelait.

Oh non. Pas Brady. Pas maintenant.

Elle se retourna et le vit qui s'approchait, ses cheveux noués en catogan flottant librement dans sa nuque.

Dieu qu'il est sexy !

Yuki repensa à ce que Lindsay lui avait dit : Brady était marié, et elle n'avait aucune envie de vivre une nouvelle histoire avec un type déjà pris, elle qui rêvait de stabilité et de bonheur domestique...

— Je suis content de tomber sur toi, Yuki. On dîne ensemble, ce soir ?

— Avec plaisir.

Ils se trouvaient à présent dans le quartier de SoMa, au Town Hall, un restaurant situé dans l'ancien Marine Electric Building, l'endroit rêvé pour un dîner informel mais non dénué d'un certain chic – murs de briques nues, parquet en bois massif et éclairage tamisé.

Les cheveux de Jackson Brady semblaient attirer la lumière diffusée par les lustres qui avaient éclairé autrefois un théâtre de Spanish Harlem.

Yuki avait commandé une margarita, sa boisson fétiche, un cocktail qui parvenait toujours à lui faire oublier ses soucis – et qui, lorsqu'elle en buvait plusieurs d'affilée, réussissait également à la mettre dans un drôle d'état. Mais ce jour-là, elle l'avait bien mérité.

— Un non-lieu, ce n'est pas ce qu'il y a de pire, observa Brady.

Il sirotait sa bière tout en dégustant des crevettes façon cajun qui leur avaient été servies pour l'apéritif.

— Non, ce n'est pas ce qu'il y a de pire, fit Yuki. Mais pour moi, c'est catastrophique. Tu sais combien d'heures j'ai passées à bosser sur ce dossier ?

— Sept mille ?

Yuki éclata de rire.

— Peut-être pas sept mille, mais un bon paquet ! Quand je pense que cette femme va ressortir libre de la salle d'audience !

— Sauf si tu trouves de nouvelles preuves contre elle.

— Ouais. On pourrait intenter un nouveau procès, avec d'autres jurés. Mais tu sais ce que c'est : le temps passe, les dossiers s'accumulent, et on aura bientôt un autre crime affreux à traiter, qui fera tomber cette affaire aux oubliettes.

— Je peux toujours garder le dossier Candace Martin bien en vue sur mon bureau.

— Merci, Jackson. Même si tu ne penses pas vraiment ce que tu dis.

— Détrompe-toi. Je suis sincère.

— Ah oui ? Ça ne t'arrive jamais de mentir ?

— Si, parfois.

Yuki poussa un petit rire :

— Je préférerais que tu ne me mentes jamais.

— OK.

— Je suis sérieuse, tu sais. On m'a dit que tu étais marié. C'est vrai ?

— Oui. Je suis encore marié.

— Et merde, tiens ! Garçon !

Brady lui saisit le bras.

— Je suis toujours marié, mais j'espère pouvoir bientôt divorcer.

Yuki but une gorgée de margarita, reposa son verre et, voyant arriver le serveur, lui demanda :

— Pouvez-vous reprendre ce verre, s'il vous plaît ? (Elle se tourna vers Brady :) Dis-m'en un peu plus.

— Tu te souviens de l'histoire que je t'ai racontée l'autre jour ?

— La fois où tu as tiré sur un type armé caché derrière un lit ?

— Exactement. Liz et moi, on avait déjà commencé à s'éloigner l'un de l'autre, et toute cette affaire – je veux dire, le fait d'avoir failli mourir, d'avoir tué un homme, l'enquête de la police des polices, les médias qui faisaient le pied de grue devant notre maison –

toute cette pression n'a fait qu'aggraver les problèmes qui existaient déjà entre nous.

— Parce que tu es flic ?

— Tout à fait. Elle n'est ni la première, ni la dernière à dire qu'elle a épousé l'homme, pas le flic. Au bout d'un an, on s'est séparés et je suis venu vivre à San Francisco. Le divorce est en cours.

— Tu as des enfants ?

— Non.

— Tu en voudrais ?

— Peut-être. J'ai quarante ans, mais j'avoue que je n'en suis pas encore là. Et toi ?

— Honnêtement, je n'en sais rien.

— Cela dit, on n'est pas obligés de décider ce soir.

— C'est vrai, fit Yuki en riant.

Ce type était décidément bourré d'humour. Elle l'aimait bien. Elle l'aimait même beaucoup.

Le serveur leur apporta du poulet frit enrobé de babeurre, une assiette de légumes sautés et des patates douces à la crème. Yuki se sentit revivre. Elle n'avait rien avalé de toute la journée.

Brady s'empara de sa fourchette, puis s'immobilisa et fixa Yuki droit dans les yeux :

— Je comptais bien te parler de Liz, tu sais.

— Je sais.

— Je t'assure que c'est vrai. Et j'aimerais te poser une question.

— Mmm-hmm ? fit Yuki, la bouche pleine de poulet.

— Tu ne voudrais pas venir chez moi après le dîner ?

97

La météo avait prévu de la pluie, et elle se mit à tomber au moment où Cindy quittait son bureau pour rentrer chez elle. Debout au coin de la rue sous son parapluie rouge, ses chaussures neuves déjà trempées, elle sentait les bourrasques froides et humides s'engouffrer sous son imperméable.

Elle sortit un mouchoir et poussa un long éternuement, le genre haut perché, façon trompette – *atchooooouuuuum*. Elle crut que sa tête avait littéralement explosé.

Tous les taxis de la ville semblaient pris ou hors service, et Cindy décida de téléphoner à All-City, la compagnie de taxis à laquelle elle faisait souvent appel. Mais après avoir longuement écouté la musique d'attente, elle entendit une voix enregistrée lui demander de renouveler son appel ultérieurement.

Elle éternua de nouveau. Non seulement elle était en train de s'enrhumer, mais elle mourait de faim et était déjà en retard pour dîner au Susie's. Elle se représenta l'arrière-salle du restaurant, chaude et douillette, et c'est alors que le nom de Quick Express lui vint à l'esprit.

Il s'agissait de la compagnie de taxis dont elle avait exploré le parking un peu plus tôt dans la semaine, pour son article sur le violeur en série. Depuis, l'homme n'avait plus fait parler de lui, et l'affaire avait disparu de la première page.

C'était à la fois une bonne et une mauvaise nouvelle.

Le côté positif, c'est qu'elle était parvenue à effrayer le violeur en braquant les projecteurs sur lui.

L'aspect négatif, c'est que l'homme allait se faire oublier et qu'il ne serait peut-être jamais arrêté.

Elle jeta un coup d'œil à sa montre – déjà presque 18 heures. Avec un peu de chance, le standardiste qu'elle avait rencontré à Quick Express, Al Wysocki, serait de service. Il accepterait peut-être de lui faire une faveur.

Elle parcourut un instant la liste de contacts enregistrés dans son téléphone et appela le numéro. Il y eut une première sonnerie, puis une voix qu'elle reconnut aussitôt lui répondit :

— Quick Express, j'écoute ?

— Al Wysocki ?

— Lui-même.

— Bonjour, Al. Cindy Thomas à l'appareil. Vous vous souvenez de moi ? Je suis journaliste au *Chronicle*. Je suis passée vous voir il y a quelques jours dans le cadre de l'un de mes articles.

— Bien sûr. Vous êtes blonde, non ?

— Tout à fait. Écoutez, Al, j'ai un petit problème. Pourriez-vous m'envoyer un taxi devant l'immeuble du *Chronicle* ? Je suis trempée jusqu'aux os et j'ai rendez-vous pour dîner dans peu de temps.

— Aucun problème. Je vous envoie un chauffeur. Il sera là d'ici cinq minutes.

98

Cindy était ravie. Elle décrivit son imperméable et son parapluie à Wysocki, puis rangea son téléphone dans sa poche et retourna se mettre à l'abri dans le hall de l'immeuble, d'où elle pouvait guetter l'arrivée du taxi à travers les portes vitrées.

Cinq minutes plus tard, une Crown Vic jaune se gara devant le bâtiment. La vitre côté conducteur s'abaissa. Cindy se précipita dans la rue et reconnut immédiatement le visage rond du chauffeur.

— Vous avez demandé un taxi ? s'écria l'homme avec un grand sourire.

— Al ! Je ne pensais pas que vous viendriez en personne ! C'est vraiment gentil de votre part.

Cindy referma son parapluie et se glissa sur la banquette arrière.

— J'allais bientôt terminer ma journée, répliqua Wysocki. Ravi de pouvoir vous rendre service. Et encore plus de partager la nouvelle avec quelqu'un qui ne sera pas jaloux. Où allons-nous ?

Cindy lui communiqua l'adresse du Susie's, au croisement de Jackson et de Sansome, puis appuya son parapluie contre la portière pour le faire sécher.

— Quelle nouvelle ? demanda-t-elle en sortant un mouchoir en papier.

— Figurez-vous que c'est mon jour de chance, répondit Al. (Il s'arrêta au feu rouge au niveau de la 2ᵉ.) Je viens de gagner à la loterie.

— Vraiment ?

— Cinq cent mille dollars !

— Sans blague ! Arrêtez de vous payer ma tête !

— Je vous jure que c'est vrai. Je jouais à chaque fois mes numéros fétiches, jusqu'au jour où... bingo ! Je donne ma démission demain matin. J'ai le plaisir de vous annoncer que vous êtes ma toute dernière cliente ! Tiens, j'ai une bouteille de schnaps dans la voiture. Ça vous dit de trinquer avec moi ? À ma nouvelle vie !

— Je ne sais pas si l'alcool fera bon ménage avec les médicaments contre le rhume !

— Allez, juste une gorgée. Ça ne peut pas vous faire de mal.

— OK, fit Cindy. Juste une gorgée. Vous devez être sur un petit nuage, dites-moi ! *Cinq cent mille dollars !* Qu'allez-vous faire de tout cet argent ?

Wysocki dévissa le bouchon d'une flasque d'alcool, en versa quelques gouttes dans un gobelet en plastique et le tendit à Cindy.

— À votre nouvelle vie, Al !

— Merci, mademoiselle Cindy. Pour répondre à votre question, ça fait plus de dix ans que je rêve de m'acheter un bateau. Je sais exactement lequel je vais m'offrir.

Cindy lui sourit.

— Quel genre... de bateau ? demanda-t-elle.

— C'est un voilier fabriqué à la main, avec une coque entièrement en bois, fit Al en observant Cindy dans le rétroviseur. (Le feu passa au vert.) Dites... ça va ?

— Pas... Pas très bien, articula Cindy.

Que se passait-il ? Elle avait du mal à se concentrer sur la conversation.

— Je me sens... bizarre.

Un sourire éclaira le visage de Wysocki.

— Vous devriez pourtant être aux anges, murmura-t-il. Vous me cherchiez, et vous m'avez trouvé !

99

Claire et moi étions attablées au Susie's, seules. Yuki s'était décommandée, et Cindy se faisait désirer. Elle n'avait pas appelé pour prévenir qu'elle serait en retard. C'était bien la première fois qu'elles nous lâchaient toutes les deux en même temps.

— Arrête de t'inquiéter pour Yuki, me dit Claire. Il faut bien qu'elle voie un homme nu de temps à autre, histoire de ne pas oublier comment c'est fait.

— Même si l'homme en question s'appelle Jackson Brady ? Pourquoi lui, franchement ? Les mecs, ce n'est pourtant pas ce qui manque à San Francisco !

Claire partit d'un grand éclat de rire :

— Je connais pas mal de femmes qui feraient des pieds et des mains pour finir dans un lit avec Brady.

— Vois-tu, ça pose un problème par rapport à la chaîne hiérarchique.

— Arrête, Lindsay. Avec toi, dès qu'on couche avec quelqu'un que tu connais, tu trouves que ça pose un problème par rapport à la chaîne hiérarchique.

— Veux-tu te taire ! m'exclamai-je en lui jetant une serviette de papier roulée en boule.

Elle me la renvoya illico presto :

— T'es pas nette, ma pauvre fille ! s'esclaffa-t-elle.

Je vidai d'un trait la fin de ma bouteille de Corona, puis déclarai :

— On n'a qu'à commander. Cindy finira bien par arriver.

Claire acquiesça. Cindy avait déjà prouvé qu'elle était capable, même en partant la dernière, de descendre un demi-pichet de bière, d'engloutir un steak et un dessert et de franchir en tête la ligne d'arrivée.

Je fis signe à Lorraine de s'approcher. Elle nous présenta les plats du jour – crevettes au lait de coco et poulet sauté au rhum. Nous nous laissâmes tenter, commandâmes également un pichet de bière, et dès que Lorraine se fut éloignée, Claire me dit :

— J'ai une histoire incroyable à te raconter, Lindsay. Elle fait sûrement partie des dix affaires les plus dingues de ma carrière. Tout commence avec le cadavre d'un homme allongé au milieu de la route.

— Un piéton renversé ?

— Effectivement, ça aurait pu ressembler à un accident de la circulation, sauf qu'il n'y avait aucune trace de pneus sur la route et aucune contusion visible sur le corps. Il y avait par contre une casquette à quelques mètres de la victime, une casquette noire avec un *X* brodé à l'arrière. À part ça, aucun indice, aucun témoin, aucune caméra de surveillance à proximité. Rien d'autre que ce cadavre et cette casquette.

— Crise cardiaque ? Rupture d'anévrisme ?

— Le mec était jeune, la vingtaine, plutôt athlétique, et le corps était disposé comme pour une veillée mortuaire au beau milieu de la route !

» J'ai donc fait l'autopsie, et grâce au scanner, j'ai découvert une balle de calibre 22 logée derrière son œil droit. Et pourtant, il n'y avait aucun impact visible.

— Je ne crois pas trop aux balles invisibles !

— En fait, elle était rentrée dans le coin de l'œil, m'expliqua Claire en posant son doigt en haut de l'arête de son nez. Le globe oculaire s'est déplacé au passage du projectile, puis est venu se repositionner par-dessus, si bien qu'on ne voyait plus rien.

— Intéressant. Il s'agissait donc d'un homicide.

— Exact.

— La balistique a pu identifier la balle ?

— Avant de l'envoyer au labo, on a recueilli une information précieuse. Le gérant d'une boutique de spiritueux avait été abattu par balles au cours d'un braquage survenu à peu près à l'heure du décès de notre jeune athlète.

» Les enregistrements des caméras de la boutique montraient un type qui portait un jean noir moulant, une chemise noire et une casquette semblable à celle qu'on avait retrouvée sur la route à proximité du cadavre. Noire, avec un *X* brodé à l'arrière.

» Les flics du secteur connaissaient le braqueur, un type qui se faisait appeler Crank, et ils sont allés l'arrêter chez lui pendant son sommeil. Ils l'ont traîné au poste et ils ont commencé à l'interroger par rapport au braquage de la boutique. D'un seul coup, Crank a fondu en larmes et il s'est mis à « chanter ».

— Ah oui ? Quelle chanson exactement ?

— Un tube bien connu qui s'intitule « Je l'ai buté, mais je ne voulais pas ».

J'éclatai de rire.

— Je te jure que tout est vrai, poursuivit Claire. En fait, il a bien failli y avoir un accident. Après avoir fui la boutique, Crank a coupé la route à un type en Honda Civic. Il est sorti de sa bagnole pour aller s'excuser, histoire que l'autre n'ait pas l'idée d'appeler les flics, et le gars en Civic lui a balancé l'insulte suprême : « Tu conduis comme une gonzesse ! Pas étonnant, vu que tu ressembles à une gonzesse ! » Clairement la phrase de trop.

— Je vois.

— Eh oui, j'imagine que le conducteur de la Honda n'avait pas prévu une réaction aussi... excessive ! Crank a sorti son flingue. « Voilà ce qu'elle te dit, la gonzesse ! » Et bang, il l'a shooté.

— C'est dingue !

— Comme tu le dis. Dans le feu de l'action, Crank a perdu sa casquette, celle qu'on le voyait porter sur les vidéos enregistrées par les caméras de la boutique. S'il n'avait pas commis ce braquage, il n'aurait jamais été inquiété pour le meurtre du conducteur de la Civic.

— Il ne connaissait pas la victime.

— Non. C'était juste un gars qui l'avait traité de gonzesse.

— Un meurtre « accidentel », en somme.

— Et selon Crank, tout était la faute de la victime...

Le rire de Claire s'estompa peu à peu et elle se mit à fixer un point derrière moi. Je me retournai, m'attendant à voir arriver Cindy, mais c'était en réalité Lorraine qui venait débarrasser la table.

— Dessert ? Café ? nous demanda-t-elle.

— Bien sûr, répondis-je. Ce soir, on mange pour quatre !

Lorraine éclata de rire et nous lut la carte des desserts. Je commandai une part de gâteau au chocolat, et Claire une part de tarte aux pommes épicées.

Au moment du café, j'appelai Cindy et lui laissai un message pour l'engueuler de nous avoir abandonnées. J'en laissai un second après avoir réglé l'addition, puis ma batterie rendit l'âme.

Je ne sais pas trop pourquoi, mais à aucun moment je ne m'inquiétai de ce qui avait pu lui arriver.

J'aurais dû.

100

Je rentrai chez moi aux alentours de 20 h 30 et déposai mes chaussures mouillées sur le paillasson avant d'entrer. Martha s'approcha de moi en remuant la queue, son pelage encore mouillé, et je me penchai vers elle pour la caresser, ce qui me valut un coup de langue baveux sur le visage.

— Merci d'avoir sorti le chien, lançai-je à Joe.

Je le trouvai au salon en pleine conversation téléphonique, entouré d'une multitude de dossiers. Je l'entendis appeler son interlocuteur « Bruno » et évoquer un problème de conteneurs, ce qui signifiait qu'il était en ligne avec le responsable de la sécurité du port de Los Angeles. Cette activité en freelance, censée au début être provisoire, constituait à présent sa principale source de revenus.

Joe m'adressa un petit geste de la main, et je me rendis directement à la salle de bains pour prendre une douche dans notre cabine équipée de jets multidirectionnels qui me donnait l'impression d'être une star de cinéma. Je restai un long moment dans ce que j'appelais notre « tunnel de lavage », me lavai les cheveux avec un shampooing à la lavande que j'adorais et laissai mon esprit vagabonder au gré des volutes de vapeur.

Après m'être essuyée avec un immense drap de bain, j'enfilai en hâte mon pyjama préféré – celui en flanelle bleue. Joe me rejoignit dans la chambre et m'enlaça en me couvrant de baisers. Nos ébats commençaient à gagner en intensité, lorsque soudain Joe se défit de notre étreinte :

— Conklin a appelé, me dit-il.

— Quand ça ?

— Juste avant que tu rentres.

— Il a laissé un message ?

— Pas vraiment. Il a juste dit : « Demande à Lindsay de me rappeler », et aussi : « Je n'en reviens pas que les Niners aient aussi mal joué dans le dernier quart-temps ! »

— Bon, je ferais mieux de le rappeler tout de suite.

Joe fit glisser ses mains au creux de mes reins et je lui filai une petite claque sur les fesses :

— Plus tard !

J'appelai Conklin depuis le téléphone installé sur la table de chevet. Il décrocha à la première sonnerie :

— Cindy ?

— Non, c'est Lindsay. Qu'est-ce qui se passe ?

— Je n'arrive pas à la joindre. Elle ne répond pas et elle ne m'a pas rappelé alors que je lui ai laissé plusieurs messages.

Je n'aimais pas le ton de sa voix. Il avait peur, je le sentais, et ça me filait la frousse.

— Elle devait dîner avec nous, mais elle n'est pas venue. Moi aussi, je l'ai appelée plusieurs fois et j'ai laissé des messages. Elle n'a peut-être plus de batterie. Tu as essayé à son bureau ?

— Oui, mais je vais refaire une tentative.

— Tiens-moi au courant.

J'étais à la recherche de mes chaussettes spa lorsque Conklin me rappela.

— Je suis encore tombé sur son répondeur, Lindsay. Ça ne ressemble pas à Cindy de rester aussi longtemps sans donner de nouvelles. J'ai contacté QT. Je file là-bas.

— Tu penses à quoi ?

— Je pense que je panique sûrement pour rien et que je risque de me faire engueuler, mais je n'y peux rien. Je l'aime à la folie.

— Je te retrouve chez QT.

Je me rhabillai et quittai mon appartement en quatrième vitesse.

101

Je m'étais souvent rendue dans l'antre de Quentin Tazio, mélange improbable entre un appartement et un laboratoire informatique, lors de situations délicates qui requéraient la mise en œuvre de ses compétences en dehors du cadre conventionnel.

Il habitait sur Capp Street, en plein cœur de Mission, dans un ancien atelier de mécanique – un bâtiment trapu sur deux étages, à la façade grise percée de deux grandes portes de garage.

Il était 21 h 30. Les rues étaient pleines de gens entrant et sortant des taquerías, galeries, restaurants et autres bars, nombreux dans ce coin de la ville. La chaussée débordait de véhicules impatients. Nous passâmes devant un jeune bourré qui se soulageait contre l'un des jeunes arbres alignés le long du trottoir.

Je garai ma voiture à côté de celle de Conklin et tentai de me rassurer en me répétant que Cindy allait bien, qu'elle s'était simplement laissé embarquer dans la rédaction d'un article et n'avait pas vu l'heure tourner. Cela étant, il lui arrivait de se fourrer dans des situations périlleuses. D'une manière générale, elle exerçait son métier de journaliste sans se soucier du danger et en oubliant sa peur, un trait de caractère que nous partagions elle et moi. Mais il existait entre nous une différence fondamentale.

Je faisais partie de la police et j'avais suivi un entraînement adapté ; je portais une arme, j'avais mon badge et une brigade entière derrière moi. Cindy, elle, disposait en tout et pour tout d'une carte de presse et d'un BlackBerry.

Je plaçai un macaron du SFPD derrière le pare-brise, puis me dirigeai vers la porte et pressai le bouton de l'interphone.

La voix digitalisée de Tazio me répondit, et une seconde après, je pénétrai dans l'immeuble.

Je tournai à gauche au fond d'un couloir étroit et entrai dans une vaste salle éclairée par la lueur d'une multitude d'écrans plasma alignés les uns à côté des autres sur un gigantesque plan de travail qui courait le long des murs. Planté au milieu de cet espace, un escalier menait aux pièces d'habitation.

Debout à côté de Tazio, Conklin me fit un signe de la main. Je les rejoignis.

— On tient quelque chose, me dit mon coéquipier.

QT leva les yeux vers moi et me sourit, dévoilant deux rangées de dents aussi brillantes que son crâne dégarni. Ses longs doigts blancs reposaient sur son clavier d'ordinateur. On pouvait lui trouver un certain charme – à condition d'aimer les hétérocéphales, petits animaux également connus sous le sobriquet de « rats-taupes ».

— Le téléphone de Cindy est équipé d'un GPS, m'expliqua-t-il. Le problème, c'est qu'il n'émet aucun signal. Il est soit éteint, soit plongé dans l'eau. J'ai dû effectuer un dump de son téléphone pour localiser son dernier ping.

Sans autorisation préalable, songeai-je. Mais s'il fallait en passer par là pour s'assurer que Cindy allait bien...

Je jetai un œil à l'écran par-dessus l'épaule de Tazio. Il affichait une carte de San Francisco sur laquelle des points lumineux représentaient les antennes-relais de téléphonie mobile.

Le meilleur geek de toute la Californie cliqua sur l'un de ces points, correspondant à une antenne située dans le Tenderloin. Un cercle apparut sur l'écran. Il cliqua sur un deuxième point, puis un troisième. Trois cercles se chevauchaient à présent sur une zone de la carte commune aux trois antennes.

— Je peux obtenir une précision de l'ordre de deux cent cinquante mètres. Le dernier ping est situé dans ce secteur, sur Turk Street, fit Tazio en pointant son doigt sur le curseur.

— Au croisement de Turk Street et de Jones Street ? lança Conklin, qui fixait l'écran avec attention.

— Exact !

— C'est là-bas que se trouve la compagnie de taxis.

— Quelle compagnie de taxis ? demandai-je.

— Quick Express Taxi, répondit Tazio en zoomant sur le carrefour.

— Son téléphone n'est pas sous l'eau, fit Rich. Il est sous terre.

Je ne comprenais rien à ce qu'il disait, mais une vive inquiétude se lisait sur le visage de mon coéquipier.

— Allons-y ! s'écria-t-il.

102

Je venais tout juste de m'asseoir sur le siège passager de la voiture banalisée de Conklin, et j'avais à peine refermé la portière qu'il enfonçait la pédale d'accélérateur. Il négocia un dérapage sur le trottoir glissant et la voiture s'élança sur la chaussée.

Slalomant entre les véhicules garés en double file et les piétons ivres, Rich fonça jusqu'au croisement de Turk Street et de Jones Street, l'un des coins les plus sordides de San Francisco.

Pendant le trajet, il m'expliqua que Cindy s'était récemment rendue dans plusieurs compagnies de taxis avec l'espoir de retrouver un monospace reconnaissable grâce à une affiche de film placardée sur la vitre arrière. Dans l'affaire des viols en série, le seul élément susceptible de permettre l'identification de l'agresseur restait en effet cette vague description fournie par l'une des trois victimes.

— Elle y est allée seule lundi dernier, ajouta Conklin. Elle a discuté avec le type qui était au standard, un certain Wysocki. Si elle y est retournée aujourd'hui, c'était sûrement pour le voir. Elle s'est peut-être jetée dans la gueule du loup en voulant pousser son investigation un peu plus loin. Tu en penses quoi, Lindsay ?

Je vis de loin les néons tremblotants indiquant QUICK EXPRESS TAXI. Avant que j'aie eu le temps de répondre, mon coéquipier gara la voiture sur le trottoir, juste à côté de la devanture crasseuse de l'agence.

La standardiste était installée derrière une grande vitre équipée d'un hygiaphone.

Je lui présentai mon badge et lui donnai mon identité. Elle me dit qu'elle s'appelait Marilyn Burns. C'était une petite femme menue âgée d'une quarantaine d'années, vêtue d'un jean et d'une chemise bleue à carreaux. Elle portait une alliance et parlait d'une voix rocailleuse qui trahissait ses habitudes tabagiques.

— J'ai remplacé Al aux alentours de 18 heures, nous dit-elle à travers l'hygiaphone. Il était assez pressé de partir. Vous voulez que je l'appelle ?

— Avez-vous vu cette femme aujourd'hui ? demanda Conklin en sortant de son portefeuille une photo de Cindy.

— Non. Ni aujourd'hui, ni un autre jour.

— Dans ce cas, allez-y, lançai-je. Appelez Al.

Elle s'exécuta. Nous l'entendîmes dire : « Rappelle-moi quant tu auras ce message, Al. La police est à la recherche d'une personne que tu as peut-être croisée pendant que tu étais de service. Une jeune femme blonde avec les cheveux bouclés. » Elle reposa le combiné de son téléphone et se tourna vers nous :

— Si vous me donnez votre numéro, je peux...

— On va jeter un coup d'œil, si ça ne vous dérange pas, l'interrompit Conklin.

Au ton de sa voix, Burns comprit qu'il ne s'agissait pas d'une question. Elle appuya sur un bouton pour nous ouvrir la porte menant au parking souterrain.

— Je vais vous accompagner, nous dit-elle.

Burns demanda à un chauffeur de venir la remplacer, puis nous fit signe de la suivre. Nous nous dirigeâmes le long des rangées de taxis garés les uns à côté des autres jusqu'à l'escalier situé dans la partie nord du bâtiment.

Je posai plusieurs questions à Burns et répondis aux siennes tandis que Conklin promenait le faisceau de sa lampe torche à l'intérieur des véhicules. Elle m'expliqua la façon dont les taxis circulaient dans le parking :

— Quand ils rentrent, les chauffeurs utilisent une carte magnétique pour accéder à la rampe, au niveau de Turk Street. Ils garent leur voiture sur l'un des trois niveaux, puis ils remontent par l'escalier pour venir me remettre leur clé, leur carnet de route et la recette de la journée.

» Quand ils prennent leur service, c'est l'inverse. Ils passent me voir pour récupérer leur carnet de route, puis ils descendent par l'escalier pour aller chercher une voiture et ils quittent le parking grâce à leur carte magnétique. Il y a un monte-charge, mais il est hors service.

— Les taxis peuvent aller et venir sans que vous les voyiez ?

— On a des caméras de surveillance. Bien sûr, ce n'est pas de la haute technologie, mais au moins elles fonctionnent.

Nous parcourûmes chacun des trois niveaux, organisés autour de la rampe d'accès centrale, montrant la photo de Cindy chaque fois que nous croisions un chauffeur.

Aucun ne l'avait vue.

Durant tout ce temps, je songeais aux différents scénarios qui avaient pu se jouer.

Cindy avait-elle rencontré une personne qui détenait des renseignements utiles pour son article ? Était-elle en train de l'interroger dans un café, son téléphone portable éteint ? Ou bien était-elle droguée sur la banquette arrière de l'un des milliers de taxis qui circulaient actuellement dans les rues de San Francisco ?

J'avais l'habitude de voir Cindy se fourrer dans des situations apparemment inextricables desquelles elle finissait toujours par se sortir. Mais cette fois, j'avais un mauvais pressentiment.

Cela faisait maintenant plus de trois heures qu'elle avait disparu et que son téléphone était éteint.

Or, Cindy n'éteignait jamais son téléphone. La dernière fois qu'il avait émis un signal, c'était dans un périmètre de deux cent cinquante mètres autour du bâtiment où nous nous trouvions.

Alors où était-elle ?

Et si elle avait quitté le secteur, où diable avait-elle pu aller ?

103

Marilyn Burns ouvrit la porte de la cage d'escalier et nous descendîmes au dernier niveau, à huit mètres sous terre.

Il y faisait sombre, froid et humide. Les néons éclairaient si faiblement qu'on ne distinguait pas le mur du fond.

Je songeai aux caméras de piètre qualité placées en hauteur, sur les piliers – elles ne devaient pas enregistrer grand-chose d'autre que de la neige. Je pris un moment pour essayer de me repérer.

Un détecteur de mouvement était installé au-dessus de la rampe débouchant sur Turk Street. À côté, sur la porte du monte-charge, une pancarte indiquait « HORS SERVICE ».

À ma droite se trouvaient la porte coupe-feu donnant accès à la cage d'escalier par laquelle nous étions descendus, et à ma gauche, une autre porte, métallique, équipée d'une serrure rutilante qui semblait neuve. Un écriteau indiquait qu'il s'agissait de la réserve.

— Qu'y a-t-il dans cette pièce ? demandai-je à Burns.

— Elle est vide, me répondit-elle. On y stockait les pièces de rechange, mais la réserve a été transférée au rez-de-chaussée pour éviter les vols.

Je dirigeai le faisceau de ma lampe sur la porte et sous les taxis garés à proximité – et soudain, j'aperçus quelque chose qui me glaça le sang.

Sous l'un des véhicules, à quelques mètres de la porte de la réserve, il y avait un parapluie pliant. Rouge, avec une poignée en bambou. Cindy en possédait un rigoureusement identique.

Les mains tremblantes, j'enfilai une paire de gants, ramassai le parapluie et le tendis à Conklin :

— Il a dû tomber de l'un des taxis. Ça te dit quelque chose ?

Conklin l'observa un instant, puis se tourna vers Burns :

— Vous avez une clé de la réserve ?

— Non. C'est Al qui garde toutes les clés.

Je sortis mon téléphone. Pas de réseau. J'en informai Rich.

— Remontez et appelez le 911, ordonna-t-il à Burns. Dites-leur que nous avons besoin de beaucoup de renforts. Allez, dépêchez-vous !

Je gardai le faisceau de ma lampe braqué sur la porte. Conklin dégaina son arme et tira trois coups de feu sur la serrure.

L'écho se répercuta sur les parois de la caverne souterraine tandis que je prenais position derrière lui, mon arme à la main. Il ouvrit la porte.

104

Durant la fraction de seconde avant que ma lampe torche n'éclaire la pièce, une série d'images traversèrent mon esprit, reflets de ce que je craignais de découvrir : Cindy, morte, allongée sur le sol, et un homme pointant son pistolet sur moi.

Je trouvai l'interrupteur sur le mur ; les néons s'allumèrent.

La pièce, dépourvue de fenêtres, était un cube dont les côtés mesuraient environ trois mètres et demi. Des cordes et divers outils étaient suspendus à des crochets fixés aux murs. Une table de travail en bois maculée de taches sombres trônait au centre de la pièce. Des taches de sang ?

Était-ce ici que le violeur se livrait à ses agressions ?

Je me tournai vers Conklin, et au même instant, je perçus le bruit d'un éternuement étouffé.

— Tu as entendu ça, Rich ?

Un second éternuement se fit entendre, cette fois un peu plus fort. Il s'agissait clairement d'une femme. Suivit le grincement d'un treuil, un bruit de machine typique des années 1950 qui ne pouvait provenir que du monte-charge – pourtant censé être hors service.

Je me précipitai vers le monte-charge et appuyai avec frénésie sur le bouton d'appel, mais il continua à monter. Burns m'avait expliqué qu'il n'était accessible que depuis l'endroit où nous nous trouvions, et qu'il montait directement jusqu'à Turk Street, trois niveaux plus haut.

Conklin se mit à frapper sur la porte avec la crosse de son pistolet en beuglant : « Police ! Arrêtez cet ascenseur tout de suite ! »

Aucune réponse ne nous parvint.

Je tentai de comprendre la scène qui était en train de se dérouler.

Personne n'avait pu entrer dans le monte-charge depuis notre arrivée dans les locaux de Quick Express, quinze minutes plus tôt : leurs occupants y étaient forcément entrés avant.

Conklin et moi échangeâmes un bref regard, puis nous élançâmes comme un seul homme en direction de la cage d'escalier.

105

Les éternuements m'avaient donné l'espoir de retrouver Cindy vivante, mais ni Conklin ni moi n'avions prévu le coup du monte-charge. Si la cabine s'arrêtait entre deux étages, si nous parvenions au rez-de-chaussée et qu'ensuite elle redescendait, ou si la personne présente dans le monte-charge débouchait sur Turk Street avant nous, il serait très difficile de l'appréhender.

Nous grimpâmes l'escalier aussi vite que possible, prenant appui sur la rampe pour nous propulser, puis Conklin enfonça la porte donnant sur Turk Street, ce qui eut pour effet de déclencher une alarme stridente.

En arrivant sur le trottoir, nous découvrîmes toute une flotte de véhicules venus de Turk Street et de Jones Street : camions de pompiers, voitures de patrouille, flics et stups en civil à bord de voitures banalisées. Tous avaient répondu à l'appel. Je repérai deux agents que je connaissais.

— Noonan, Mackey, occupez-vous de boucler le parking ! Personne ne rentre, personne ne sort !

Pendant ce temps, Conklin s'était précipité vers la porte du monte-charge. Je dus forcer l'allure pour le rattraper. Il venait juste de se poster devant lorsque la porte commença à s'ouvrir.

Un taxi jaune apparut dans l'encadrement. Tenant son neuf millimètres à deux mains, Conklin se mit en position de tir tandis que le véhicule s'avançait lentement sur le trottoir.

Il faisait sombre, mais le chauffeur et son passager, à l'arrière, étaient éclairés par les phares et les lampadaires. Je reconnus Cindy grâce à ses boucles blondes.

Le chauffeur du taxi avait allumé ses pleins phares. Il ne pouvait faire autrement que de voir Conklin.

— Police ! hurla mon coéquipier.

Il tira un coup de feu dans le pneu avant-gauche, mais le chauffeur fit gronder le moteur et la voiture bondit en avant.

— Stop ! cria Conklin.

Il tira à deux reprises dans le haut du pare-brise et sauta en arrière juste à temps pour éviter de se faire écraser. Le taxi, à présent incontrôlable, poursuivit sur sa lancée et percuta une voiture de patrouille sur Turk Street. Le choc le dévia de sa trajectoire : il heurta de plein fouet une bouche d'incendie, bascula sur le côté puis continua d'avancer sur deux roues avant de se rétablir et de s'arrêter. L'eau jaillissait sur le trottoir. Les piétons hurlaient.

Conklin s'élança vers le véhicule et tenta d'ouvrir la portière côté passager, mais en vain.

— J'ai besoin d'aide ! appela-t-il.

Les pompiers accoururent pour lui prêter main-forte. Équipés de leur mâchoire de survie, ils s'activèrent pour ouvrir la portière. Cindy était allongée sur le sol, coincée entre la banquette arrière et le dossier du siège avant. Conklin se pencha vers elle.

— Elle n'a rien ? criai-je de loin.

— Elle est vivante, me répondit-il. Dieu merci, elle est vivante !

Il passa le bras de Cindy autour de son cou et la souleva. Elle était entièrement habillée et je ne distinguais aucune trace de sang.

— Cindy, c'est moi, prononça Conklin d'une voix brisée par l'émotion. Je suis là. Tout va bien.

— Riiiiich, murmura-t-elle en ouvrant à moitié les yeux.

Conklin la serrait si fort que je craignis un instant qu'il l'étouffe. Soudain, les yeux de Cindy se fermèrent et elle se mit à ronfler doucement, la joue contre son épaule.

106

— Oh, mon Dieu ! hurla Marilyn Burns. Qu'est-ce qui s'est passé ?

Se cachant les yeux avec les mains, elle jeta un bref coup d'œil pour identifier le cadavre. L'homme n'était autre qu'Albert Wysocki. Un impact de balle bien net était visible au milieu de son front, un autre au niveau de son cou.

Je rejoignis Conklin qui aidait les ambulanciers à installer Cindy sur un brancard. Le souffle court, il avait le visage très pâle, et je savais qu'il aurait voulu accompagner Cindy à l'hôpital. Mais il venait de tirer sur un homme. Il devait maintenant se soumettre au protocole en vigueur dans ce genre de situation et attendre l'arrivée du légiste, des techniciens de scène de crime et de Brady.

Je posai la main sur son épaule et son regard croisa le mien. Son visage n'exprimait aucune émotion.

J'étais déjà passée par là. J'avais déjà ressenti cette brusque montée d'adrénaline qui venait prendre le pas sur la colère et la peur, puis cet engourdissement émotionnel lié au choc.

— Wysocki est mort ? s'enquit-il. Est-ce que... je l'ai tué ?

— C'était toi ou lui, Rich. Tu as eu de la chance de t'en sortir vivant.

— Je suis content de l'avoir buté, cet enfoiré !

— Lindsaaaaay, appela Cindy depuis l'ambulance.

— Je suis là, ma belle !

— Tu vas l'accompagner à l'hôpital ? me demanda Conklin.

Je hochai la tête et grimpai à l'arrière du véhicule.

— Ça va aller, fis-je à Cindy en lui prenant la main. Je t'aime, tu sais. J'ai eu une sacrée frousse !

— Je vais pouvoir écrire un article d'enfer, articula-t-elle d'une voix faible.

— Pour sûr !

Conklin s'approcha de nous :

— Lindsay ?

— Je vais rester avec elle en attendant que tu puisses te libérer. Ne t'inquiète pas, Rich.

107

La lumière du soleil levant filtrait déjà à travers les rideaux lorsque je franchis la porte d'entrée. Martha m'accueillit en remuant la queue. Je lui fis une petite caresse puis me débarrassai de ma veste, de mon étui de revolver et de mes chaussures avant de me rendre à la salle de bains sur la pointe des pieds. Je restai un bon moment sous l'eau chaude dans le « tunnel de lavage », puis enfilai mon pyjama bleu, celui-là même que j'avais enlevé la veille au soir avant de partir – j'avais l'impression qu'il s'était écoulé une année entière.

Tandis que je me glissais sous les draps, Joe se réveilla et me prit dans ses bras. J'étais ravie, car j'allais pouvoir lui raconter tout ce qui s'était passé depuis que je l'avais appelé à l'hôpital.

— Alors, comment va Cindy ? me demanda-t-il après m'avoir embrassée.

— Franchement ? C'est comme s'il ne lui était rien arrivé. Elle s'est endormie juste après être montée dans le taxi, et elle s'est réveillée cinq heures plus tard à l'hôpital.

— Et... ?

— Dieu merci, le type n'a pas eu le temps de la violer. (Je m'installai confortablement au creux de son bras, mon corps collé contre le sien, ma jambe gauche posée par-dessus la sienne, mon bras gauche sur son torse.) Le médecin dit qu'elle ira bien dès que l'effet de la drogue se sera dissipé.

— Tu en sais un peu plus sur ce violeur ?

— C'était une espèce de petit malfrat, un pauvre mec qui vivait seul. Cinquante-cinq ans, pas de femme, pas d'amis, le profil type du psychotique solitaire. Il bossait dix-huit heures par jour à Quick Express. Apparemment, il dormait dans sa voiture la moitié du temps.

J'expliquai à Joe que Wysocki gérait la compagnie de taxis pour le compte d'un homme qui vivait dans le Michigan. Il avait donc le contrôle total des lieux. C'était lui qui détenait les clés, lui qui s'occupait des plannings et de l'organisation générale.

— Personne ne remettait en question ce qu'il faisait. Il avait placardé un écriteau « Hors service » sur la porte du monte-charge, et c'était devenu son espace privé.

— Le roi en son domaine, fit Joe.

— Exactement. On a retrouvé un agenda dans la poche de sa veste. À l'intérieur, il avait dressé une liste de ses victimes, six au total, avec l'heure, la date et une description de leurs tenues vestimentaires. Il y avait le nom de Cindy, et je t'assure que ça m'a fait un drôle d'effet de le voir écrit là noir sur blanc.

— Un agenda, tu dis ? Tu crois qu'il s'inventait des rendez-vous imaginaires ?

— Avec ce genre de malade, tout est possible. Il devait droguer ses clientes après les avoir fait monter dans son taxi, et puis il les ramenait dans son « salon privé ». Je suppose qu'il attendait qu'elles soient dans un état de semi-conscience, puis qu'il les violait avant que les effets de la drogue se dissipent. Et, en parfait gentleman, il les reconduisait chez elles – ou du moins il les déposait dans un recoin tout proche. La soirée idéale pour Al Wysocki. Même pas besoin d'envoyer un bouquet de fleurs le lendemain.

— Comment va Conklin ?

— Il est à la fois fou de rage et complètement effondré. Tout à l'heure, à l'hôpital, il a dit à Cindy : « Ne refais jamais ça ! » Tu sais ce qu'elle lui a répondu ? « Quoi ? Prendre un taxi ? »

Nous partîmes tous deux d'un grand éclat de rire.

Cindy, mon indomptable amie.

Joe tourna alors son visage vers moi et m'embrassa longuement ; je me sentis fondre.

— Je t'aime tellement, Joe. Je crois même que je t'aimais avant de te connaître.

Il éclata de rire, mais je vis des larmes briller dans ses yeux.

108

En plongeant mon regard dans celui de Joe, je me remémorai la première fois que son envie d'enfant avait rencontré la mienne. Nous travaillions ensemble sur une affaire. Au sein de l'équipe, j'étais alors la personne la moins gradée, et lui le « big boss » : sous-directeur du département de la Sécurité intérieure.

Je l'avais tout de suite trouvé très séduisant, avec ses cheveux châtains, sa carrure athlétique, son intelligence qui le disputait à sa gentillesse et à sa décontraction. En bref, j'étais sous le charme.

Lorsqu'il m'avait tendu sa carte de visite et que ses doigts avaient frôlé les miens, nous avions tous deux ressenti comme une décharge électrique. Il ne nous avait pas fallu longtemps pour sortir ensemble, mais cette passion naissante avait été interrompue à plusieurs reprises et pendant des périodes de parfois plusieurs mois, à cause d'avions ratés et d'emplois du temps incompatibles.

Joe vivait alors à Washington, moi à San Francisco, et lui comme moi venions de traverser des périodes difficiles.

Joe se remettait d'un divorce mouvementé, et pour ma part, je n'avais toujours pas surmonté la perte d'un être cher qui avait trouvé la mort au cours d'une mission de police.

Ni l'un ni l'autre n'étions préparés à la frustration engendrée par cette relation à distance pour le moins chaotique, et rendue plus compliquée encore par l'attirance qui existait entre Conklin et moi – attirance qui demeura sans suite.

Durant cette période trouble, Joe était resté stable comme un roc, auquel je m'étais raccrochée comme à une falaise du bout des ongles. Je savais ce qu'il me fallait. Et j'aimais Joe à la folie. Mais j'étais incapable de me consacrer pleinement à notre relation.

Au bout d'un moment, lassé, Joe m'avait mise face à mon ambivalence. Puis il avait quitté son poste à Washington pour emménager à San Francisco. Et finalement, de rebondissement en rebondissement, nous nous sommes retrouvés.

— Je t'aime tant, Joe, murmurai-je en embrassant doucement les coins de ses yeux.

Il posa sa main sur ma joue et je déposai un baiser sur sa paume.

— Et moi, je t'aime presque trop. Je ne supporte plus les moments où tu n'es pas là, quand je me retrouve seul, allongé dans le noir, à imaginer que tu es peut-être en train de te faire tirer dessus. C'est terrible d'avoir ce genre de pensées.

— Tu sais bien que je suis toujours très prudente. Inutile de te torturer avec ça.

Je me penchai vers lui pour l'embrasser, un baiser long et langoureux qui ne manqua pas de nous émoustiller.

Nous échangeâmes un sourire, les yeux dans les yeux. Plus aucun mur ne se dressait entre nous.

— J'adorerais faire un bébé avec toi, Joe.

Cette phrase, je l'avais déjà dite. En fait, je la répétais tous les mois depuis déjà un moment, mais sur l'instant, elle représentait plus que la simple évocation d'un projet. C'était un désir irrésistible d'exprimer l'amour que j'éprouvais pour mon mari de façon entière et permanente.

— Tu crois que je peux faire un bébé comme ça, sur commande ? fit Joe en déboutonnant le haut de mon pyjama. Tu crois qu'un type qui approche la cinquantaine n'a qu'à claquer des doigts, et hop ? Hein, Blondie ? (Il défit le nœud de mon pantalon tandis que je faisais glisser son caleçon.) Oui, je crois que tu peux me faire confiance. Tu peux même profiter de moi, si ça te fait plaisir...

— Je prends ça pour une invitation...

La caresse de ses mains sur mes seins me donna la fièvre. Je me débarrassai de mon pantalon et me collai contre lui.

— Essaie un peu de m'arrêter, soupirai-je dans le creux de son oreille.

109

Il était environ 22 heures, par une froide nuit de décembre, dans le quartier de Pacific Heights. Conklin et moi étions en planque dans un SUV du SFPD, équipés de micros, de gilets pare-balles et prêts à agir.

Six voitures banalisées étaient dispatchées le long de Broadway Street et de Buchanan Street. Plusieurs officiers se dissimulaient derrière les véhicules des particuliers.

Autour de nous, sur les toits environnant l'immeuble Arts déco de huit étages à la façade de granit blanche, les snipers avaient pris position.

Je fixais cet immeuble depuis si longtemps que j'aurais été capable de reproduire sur une feuille les motifs ornementaux qui encadraient la porte en cuivre sculptée, les topiaires de buis et les arbustes qui longeaient le trottoir. Je connaissais parfaitement les traits du portier en livrée, car cet homme n'était autre que le lieutenant Michael Hampton.

Un panneau INTERDICTION DE STATIONNER JOUR ET NUIT était placé devant l'entrée, ce qui nous permettait de surveiller aisément les allées et venues.

Si les renseignements fournis par l'indic de la brigade de répression du banditisme étaient exacts, nous étions sur le point de coincer un truand légendaire.

En revanche, si le type se trompait, ou si notre opération avait fuité, Dieu seul savait quand se présenterait une nouvelle occasion.

J'étirai mes jambes douloureusement engourdies et Conklin fit craquer ses articulations. Transie de froid, je voyais mon souffle s'échapper de ma bouche en fumée blanche. J'aurais donné la moitié de mes économies pour une tasse de café fumant, et l'autre moitié pour une barre chocolatée.

À 23 h 30, juste au moment où je commençais à me dire que je ne serais plus jamais capable de marcher, une limousine s'arrêta devant l'immeuble. Une brusque décharge d'adrénaline me fit aussitôt oublier mes crampes et ma fatigue.

Le « portier » quitta son poste et s'approcha du véhicule pour ouvrir la portière. Les passagers revenaient de l'opéra et était vêtus en conséquence.

Nunzio Rinaldi, qui représentait la troisième génération d'une célèbre famille de mafieux, sortit le premier, en costume noir et cravate gris argent. Il tendit la main à sa femme, Rita, dont la chevelure blond platine aurait suffi à éclairer un tunnel en pleine nuit. La carrosserie de la limousine, rutilante, concurrençait ses bijoux étincelants.

Tandis que les Rinaldi se dirigeaient vers l'imposant hall d'entrée de leur immeuble, un petit homme en imperméable à capuche, portant d'une main un sac de courses et tenant de l'autre un Jack Russell en laisse, déboucha au coin de la rue.

Au départ, je ne lui prêtai guère attention. Il n'était qu'un piéton parmi tant d'autres, et je me concentrai sur le portier, dont la vision m'était cachée par un flot de voitures. Mais soudain, le petit chien s'échappa et se mit à courir sur le trottoir ; l'homme, qui avait lâché son sac, sortit un pistolet de la poche de son imperméable.

La scène s'était déroulée si vite que j'avais du mal à y croire. Je vis la lumière des lampadaires se refléter sur le canon de son arme.

Il la tenait braquée sur les Rinaldi.

— Action ! hurlai-je dans mon micro, explosant les tympans de tous mes collègues planqués le long de Broadway Street.

110

Le lieutenant Hampton se précipita sur le tireur, lui agrippa le bras et le retourna pour le projeter à terre.

Trois coups de feu retentirent. Les piétons se mirent à pousser des cris de frayeur, mais avant même que les échos aient fini de résonner, la scène était finie, le tueur désarmé et neutralisé.

Conklin et moi nous élançâmes à travers la chaussée et arrivâmes à côté d'Hampton pour entendre les menottes se refermer avec un bruit sec. Haletante, j'observai notre collègue se pencher vers le tueur.

— Je t'ai eu, enfoiré, lui souffla-t-il. Merci, grâce à toi, je n'aurai pas perdu ma journée.

Quelques mètres plus loin, Rita Rinaldi poussait des gémissements, ses mains parées de bijoux plaquées contre ses joues. Elle devait se douter que l'homme à l'imperméable était venu pour liquider son mari.

Nunzio Rinaldi lui passa le bras autour de l'épaule.

— Qu'est-ce qui se passe, bon Dieu ? C'est qui, ce type ? demanda-t-il à Conklin.

— Désolé pour cette agitation, monsieur Rinaldi, mais il fallait bien qu'on vous sauve la vie. Nous n'avions pas le choix.

De mon côté, j'avais quelques questions à poser, et j'espérais bien obtenir des réponses.

J'ôtai la capuche de l'homme au pistolet et empoignai une fine touffe de ses cheveux poivre et sel pour lui soulever la tête.

Il m'observa de ses yeux gris, où se lisait un certain amusement. Un sourire narquois flottait sur son visage.

— Votre nom ? lâchai-je, même si j'étais certaine de déjà le connaître.

Le visage correspondait en tous points à celui de l'homme pris en photo dans un SUV au côté du « sosie » de Candace Martin.

Ce ne pouvait être que Gregor Guzman.

En me renseignant sur lui, j'avais découvert qu'il était né à Cuba en 1950, d'un père russe et d'une mère cubaine. Il avait quitté son île natale à la fin des années 1960, à bord d'un bateau de pêche volé, et après avoir accosté à Miami, il avait gagné sa vie en louant ses services aux trafiquants de drogue. Plus tard, il s'était lancé dans une carrière solo et était devenu tueur à gages international.

Cette photo granuleuse de Guzman, ou du moins d'une personne lui ressemblant fortement, avait relancé les recherches policières pour tenter de l'arrêter. Son portrait avait été diffusé dans les aéroports, les agences du FBI, et j'en avais moi-même une copie sur mon ordinateur.

Cet homme était-il celui qu'avait rencontré Ellen Lafferty quelques semaines avant le meurtre de Dennis Martin ? Caitlin Martin avait-elle vraiment tué son père comme elle le prétendait, ou bien était-ce Guzman l'assassin ?

— Dites-moi votre nom et je vous dirai le mien, fit Guzman.

— Sergent Boxer, du SFPD.

— Ravi de faire votre connaissance, charmante demoiselle.

Évidemment. Comme s'il allait cracher le morceau ici, en pleine rue ! Je lâchai ses cheveux et sa tête retomba sur le trottoir.

Le lieutenant Hampton l'aida à se relever et lui lut ses droits.

111

Gregor Guzman avait été inculpé de tentative de meurtre sur la personne de Nunzio Rinaldi, mais même s'il se retrouvait condamné, cela ne suffirait pas à l'envoyer derrière les barreaux jusqu'à la fin de sa vie. C'est pourquoi les forces de police, de Bryant Street jusqu'à Rio de Janeiro, s'activaient pour réunir de quoi lui coller d'autres affaires sur le dos, en espérant l'engluer en prison le plus longtemps possible.

À 2 heures du matin, assisté d'un avocat, Guzman fut interrogé par le lieutenant Hampton. Chaque fois qu'il ouvrait la bouche, c'était pour répéter comme un automate, « Vous n'avez aucune charge contre moi », alors même que nous l'avions arrêté avec son pistolet semi-automatique chargé pointé sur Nunzio Rinaldi.

Le lieutenant Hampton ne semblait pas agacé par son attitude. Il avait effectué un gros travail en amont, et cette arrestation en flagrant délit lui garantissait une condamnation. Et maintenant que nous le tenions, nous avions ses empreintes, son ADN et la possibilité de le faire plonger pour des affaires non résolues, vieilles pour certaines de trente ans.

De mon côté, j'étais davantage préoccupée par un crime commis un peu plus d'un an auparavant.

Je frappai à la porte de la salle d'interrogatoire.

Hampton sortit dans le couloir et passa la main sur son crâne rasé.

— Tu peux y aller, Lindsay, j'ai terminé. Je peux rester avec toi si tu veux. On n'est jamais trop de deux.

Le mois qui venait de s'écouler avait été éprouvant, la nuit plus encore, et Hampton n'aurait sûrement pas été contre le fait de rentrer chez lui retrouver sa femme. Pourtant, il me suivit dans la salle d'interrogatoire :

— Sergent Boxer, vous connaissez déjà M. Guzman ?

— Oui, j'ai eu le plaisir de le rencontrer tout à l'heure.

— Tout le plaisir était pour moi, lança Guzman de sa voix mielleuse.

— Et voici M. Ernesto Santana, son avocat, ajouta Hampton.

Je le saluai, pris place sur une chaise et posai sur la table un dossier contenant une série de photographies.

— Il faut coucher avec qui, ici, pour avoir droit à un café ? demanda Guzman.

Sa question resta sans réponse.

— Nous allons vous inculper pour l'assassinat de Dennis Martin, monsieur Guzman, déclarai-je.

— Dennis qui ? C'est quoi, cette histoire ?

— Dennis Martin, répondis-je en sortant la photo de son corps gisant dans l'entrée de sa luxueuse villa, au milieu d'une flaque de sang.

— Je n'ai jamais vu ce type, fit Guzman.

Je sortis un second cliché de Dennis Martin, sur lequel il était vivant, et même bien vivant. Il posait sur un voilier, les cheveux au vent, son beau visage illuminé par un sourire radieux. Une jolie rousse du nom d'Ellen Lafferty était blottie contre lui.

— Et comme ça, son visage vous dit quelque chose ?

Je vis ses iris se contracter, comme s'il le reconnaissait.

— Rien du tout, désolé. Dites, Ernie, je suis obligé de rester ici ou je peux retourner en cellule ?

Je notai la pointe d'accent espagnol, remarquai ses ongles soigneusement entretenus, l'agressivité qu'il ne cherchait pas à contenir.

— Ces photos ne constituent en aucun cas des preuves, sergent, intervint Santana. Quel est votre but ?

Je sortis alors la photo prise par Joseph Podesta, où l'on voyait Ellen Lafferty avec sa perruque blonde assise sur le siège passager d'un SUV à côté de Guzman.

Le Cubain observa la photo, sourit, puis s'exclama :

— D'abord, un café !

— Noir ? soupira Hampton.

— *Con leche*, répondit Guzman. Sans sucre, et j'aimerais que ce soit une serveuse topless qui me l'apporte – blonde, de préférence !

112

Dix longues minutes s'écoulèrent, pendant lesquelles j'observai cette saloperie de tueur à gages qui me dévisageait en souriant. J'étais sur le point d'aller moi-même lui chercher son café lorsqu'un flic ouvrit la porte, déposa un gobelet devant Guzman et ajusta la caméra suspendue au-dessus de l'encadrement de la porte avant de quitter la pièce.

Guzman but une gorgée, puis étudia de nouveau la photo que j'avais sortie de mon dossier.

— On ne peut pas dire qu'elle soit très nette, observa-t-il.

— Elle n'est pas si mauvaise que ça, répondis-je. Notre logiciel a établi une comparaison avec la photo que nous avons prise juste après votre arrestation. Il s'agit bien de vous.

— OK, j'étais assis dans cette voiture avec une jeune femme. Et alors ? Vous voulez me coller un procès pour hétérosexualité ? À ce compte-là, je plaide coupable. C'est vrai, j'aime les femmes. Vous y croyez, à ça, Ernie ?

— Écoutons ce qu'ils ont à dire, fit Santana.

— La femme qu'on voit sur cette photo est le docteur Candace Martin. Elle vous a payé pour supprimer son mari, et je pense qu'elle serait ravie de pouvoir vous identifier afin d'obtenir un allègement de peine.

Bien sûr, je mentais, mais je le faisais dans un cadre strictement légal. La réaction de Guzman fut celle que j'espérais.

— Ce n'est pas Candace Martin, fit-il.

— Si, il s'agit bien du docteur Martin. Disons plutôt la veuve Martin. Vous le savez comme moi.

Guzman finit son café, froissa le gobelet en carton dans sa main et se tourna vers son avocat :

— Je n'ai pas tué Dennis Martin. Ils se foutent de moi. Je leur dirai ce que je sais s'ils acceptent d'abandonner les charges pour la tentative de meurtre.

— Abandonner les charges ? m'exclamai-je. Vous êtes fou ? Nous avons un témoin. Nous avons des photos qui vous montrent en compagnie de la femme qui vous a engagé pour commettre ce meurtre. Nous avons un cadavre. Et puisque nous vous avons arrêté pour tentative de meurtre sur la personne de M. Rinaldi, nous avons tout le temps qu'il nous faut pour vous interroger et mener une enquête approfondie.

— Vous devriez être actrice, charmante demoiselle. Vous n'avez rien.

Je repris les photos, les rangeai dans mon dossier, puis déclarai :

— Gregor Guzman, vous êtes en état d'arrestation pour le meurtre de Dennis Martin. Vous avez le droit de garder le silence, comme votre avocat vous l'expliquera.

La colère se lisait sur le visage de Guzman. J'avais l'impression qu'il allait se jeter sur moi du haut de son mètre dix ! J'imaginai le coup de poing que je lui balancerais si j'en avais l'occasion.

— Ne dites plus rien, Gregor, fit l'avocat en posant sa main sur le bras de son client.

— Ne vous inquiétez pas, Ernie. Tout ça n'est qu'un ramassis de conneries.

— Dans ce cas, merci d'éclairer ma lanterne, intervins-je.

— Je peux le faire, sergent Boxer, mais pas pour le simple plaisir de m'écouter parler. Je refuse d'être poursuivi pour ce meurtre.

— Nous pourrons l'envisager si vos informations nous permettent de retrouver l'assassin de Dennis Martin et si nous parvenons à prouver sa culpabilité.

— Écoutez. Je n'ai pas tué ce type. Vous ne pourrez jamais me lier à cette affaire, et je n'ai aucune intention de faire le boulot à votre place. J'accepte de vous fournir des informations uniquement pour ne pas me retrouver condamné à tort par un jury antipathique. Voilà. Alors ?

— C'est d'accord, fis-je. Dites-moi ce que vous savez, et si votre histoire me plaît, nous abandonnerons les poursuites.

Santana prit la parole :

— Si vous voulez que M. Guzman vous donne des informations permettant d'arrêter l'assassin de cet homme, nous exigeons un accord par écrit, signé par le procureur.

— Je vous rappelle qu'il est 2 heures et demie du matin, lançai-je.

— Prenez votre temps, répondit l'avocat. Nous pouvons attendre.

Mon père avait coutume de dire qu'il faut battre le fer tant qu'il est chaud – eh bien, en l'occurrence, mon fer était brûlant.

— Très bien. Je vais contacter une assistante du procureur.

113

Yuki décrocha son téléphone à la première sonnerie.

— Je l'ai cuisiné bien comme il faut, et la poêle est chaude.

— Laisse-le mariner un peu, j'arrive. J'en ai déjà l'eau à la bouche.

Une heure plus tard, Yuki faisait son entrée dans la salle d'interrogatoire, au troisième étage du palais de justice.

Ernesto Santana se leva et lui serra la main, imité par le lieutenant Hampton.

— Vous bossez vraiment pour le procureur ? grogna Guzman. Vous avez quel âge, au juste ? Douze ans ?

— Je suis assez vieille pour avoir passé mon diplôme en détection de baratineurs, répondit Yuki. Tout le monde est prêt ? On peut commencer ?

Je ressortis les photos du dossier et les plaçai devant Guzman.

— La fille – j'ai oublié son nom –, c'est elle qui a cherché à m'engager. Elle a des contacts dans le milieu et c'est comme ça qu'elle a pu remonter jusqu'à moi. J'ai accepté de la rencontrer.

» Elle portait une perruque blonde. Je le sais, parce que je voyais des mèches rousses qui dépassaient sur sa nuque. Elle avait apporté une enveloppe avec mille dollars en petites coupures, des billets de dix et de vingt. Elle voulait que je m'occupe du docteur. Candace Martin.

— Elle voulait que vous l'exécutiez, c'est bien ça ?

— C'est bien ça. Elle avait apporté une photo.

Je trouvais Guzman beaucoup plus crédible qu'Ellen Lafferty, qui avait prétendu être allée lui apporter une enveloppe de la part de Dennis Martin et ne pas savoir qui était Guzman, ni ce que contenait l'enveloppe.

— Continuez, fis-je.

— J'ai regardé la gamine et je lui ai dit : « Merci, mais non merci. Je ne sais pas comment vous avez entendu parler de moi, mais je ne donne pas dans ce genre de plan. »

— Parfait, monsieur Guzman. Bien sûr, nous vérifierons l'exactitude de vos dires.

— Vérifier quoi ? Vous pensez que cette petite conne va avouer qu'elle a cherché à faire dézinguer le docteur ? Candace Martin est vivante, non ? Qu'est-ce qu'il vous faut de plus comme preuve ?

— Mademoiselle Castellano, fis-je en me tournant vers Yuki. Avez-vous suffisamment d'éléments pour inculper Ellen Lafferty d'incitation au meurtre ?

— Tout à fait, répondit-elle. Et je ferai le nécessaire dès demain matin. Monsieur Santana, pour le moment, je vais oublier l'inculpation pour meurtre sur la personne de Dennis Martin. Je vous souhaite bonne nuit, monsieur Guzman.

114

Yuki et moi quittâmes le palais de justice en silence et nous dirigeâmes vers la voiture de Yuki, garée près de l'institut médico-légal. Nous grimpâmes à bord et restâmes un moment assises à observer le parking faiblement éclairé par un lampadaire.

Je me disais que j'étais allée beaucoup trop loin. Brady allait sûrement clouer ma peau à la porte de la salle de la brigade si mon stratagème venait à échouer – et peut-être même en cas de réussite. En enquêtant sur l'affaire Martin, j'avais largement désobéi aux ordres de mon supérieur, et prétendre que je l'avais fait sur mon temps libre constituerait une bien piètre excuse.

Yuki, quant à elle, était perdue dans ses pensées.

Je m'apprêtais à rompre le silence pour la supplier de me dire quelque chose, lorsqu'une portière de voiture claqua à l'autre bout du parking. Je jetai un coup d'œil par-dessus mon épaule :

— La voilà.

Une minute plus tard, la portière arrière s'ouvrit et Cindy se glissa sur la banquette.

— Je n'en reviens pas que Rich t'ait laissée sortir à 4 heures du matin, fit Yuki.

— Comme si j'avais besoin de sa permission ! s'esclaffa Cindy. Alors, quoi de neuf ?

Je lui expliquai que j'avais fait semblant d'inculper Guzman pour le meurtre de Dennis Martin et lui relatai ce qu'il nous avait raconté, à savoir qu'Ellen Lafferty avait cherché à l'engager pour tuer Candace Martin mais qu'il l'avait envoyée promener.

— Il paraissait crédible ?

— Du moins, convaincu par ce qu'il disait.

— Bien joué, Linds, fit Cindy. Mais sur quels éléments peut-on s'appuyer ?

— Je pense franchement qu'on peut éliminer Guzman de la liste des suspects pour le meurtre de Dennis Martin.

— Moi aussi.

— Lafferty ment comme elle respire, ajoutai-je. Si elle savait que Caitlin était maltraitée, qu'a-t-elle fait pour que ça s'arrête ?

— Tu penses vraiment que c'est elle qui a tué Dennis ? demanda Yuki.

— Elle en avait les moyens, elle avait un mobile et elle était présente au moment des faits. Et puis elle a ce côté à la fois démoniaque et stupide.

— Elle n'a pas pu tuer Dennis, intervint Cindy. Rich et moi, on est allés la voir hier soir. Elle nous a répété qu'elle avait quitté le domicile des Martin à 18 heures, une version qu'elle a toujours maintenue. Elle a envoyé plusieurs textos à son amie Veronica entre 18 heures et 18 h 15. Elle nous les a montrés – ils sont encore en mémoire dans son téléphone.

» De plus, son amie a confirmé l'avoir retrouvée pour dîner chez Dow's à 18 h 15, et le serveur se souvient de l'heure parce que leur table n'était pas prête à leur arrivée. Il se souvient également d'elles parce qu'elles étaient habillées de façon plutôt sexy et qu'elles ont flirté ouvertement avec deux types qui buvaient un verre au comptoir.

» Ellen a réglé les consommations à 18 h 32 très précisément. Elle a signé le ticket de carte bleue.

— OK, on oublie Lafferty, fis-je en me tournant vers Yuki. *Quid* de Caitlin ? Est-ce qu'elle a pu prendre l'arme de son père et s'en servir pour le tuer ?

— Je dois rencontrer son psy dans, euh, cinq heures. Je vous tiendrai au courant.

— Inutile de préciser que tu dois attendre notre feu vert pour publier ces informations, fis-je en m'adressant à Cindy.

— De toute manière, pour l'instant, je n'ai pas de quoi écrire un article qui tienne la route.

— Je ne te le fais pas dire, approuvai-je en souriant.

— Tu sais, Linds, depuis le début, je suis vraiment persuadée que Candace est coupable, fit Yuki. Si Caitlin ne s'était pas dénoncée, je crois que j'aurais réussi à la faire condamner. Ça me fait flipper. Tu imagines si je me suis trompée ?

115

Malgré les protestations du directeur de la sécurité du Metropolitan Hospital, Conklin et moi nous installâmes au fond de l'amphithéâtre surplombant l'une des salles d'opération.

L'amphi était rempli à craquer d'internes et de spé-
cialistes. Deux écrans montraient des gros plans de la
table d'opération et des caméras filmaient l'intervention pour la diffuser en streaming afin que des chi-
rurgiens du monde entier puissent voir Candace
Martin réaliser une opération cardiaque sur Leon
Antin, un célèbre violoniste de soixante-quinze ans,
membre de l'orchestre symphonique de San Francisco.

Le patient était drapé d'un tissu bleu, sa cage tho-
racique ouverte et son cœur éclairé par de puissantes
lumières. Candace Martin était assistée par des chirur-
giens, des infirmières et un anesthésiste qui contrôlait
la machine cœur-poumon.

Un jeune interne était assis à ma droite. Un badge
accroché à sa blouse indiquait « Docteur Ryan Pitt ».

Selon lui, il s'agissait d'une opération extrêmement
complexe, rendue encore plus délicate par l'âge
avancé du patient.

— L'opération ne pourra guère augmenter son
espérance de vie – il est classé 4 sur le score ASA, ce
qui signifie que son état de santé engendre un risque
opératoire élevé, m'expliqua-t-il à toute vitesse. Mais
il voulait être opéré par le docteur Martin maintenant
qu'elle est disponible. C'est une amie, et il n'aurait
laissé personne d'autre s'occuper de lui.

Pitt m'expliqua aussi que, durant les trois heures qui
venaient de s'écouler, Candace avait prélevé deux veines
de ses jambes et implanté trois des quatre greffons sur
les artères coronaires. Elle était sur le point d'implanter
le dernier.

Je fixai l'écran au-dessus de ma tête. Soudain, je vis
le personnel médical s'agiter. Les lignes vertes dan-

saient sur les moniteurs de contrôle, et Candace Martin se mit à crier sur l'anesthésiste tout en faisant un massage cardiaque à son patient.

— Que se passe-t-il ? demandai-je à l'interne.

Pitt me livra une réponse purement médicale, mais je compris l'essentiel. Le cœur de Leon Antin, à bout de souffle, refusait de se remettre à fonctionner. Le docteur Martin insultait tout le monde dans la salle d'opération, mais elle refusait d'abandonner la partie.

On fit des intraveineuses au patient, puis une défibrillation ; Candace Martin reprit son massage cardiaque en suppliant son ami de rester avec elle.

Il fut bientôt évident, même pour moi, qu'il n'y avait plus aucun espoir. Une infirmière prit Candace Martin par les épaules pour l'éloigner de la table d'opération et un médecin prononça l'heure du décès.

Candace ôta son masque et se dirigea droit vers la porte. Les caméras s'éteignirent.

J'entendis alors prononcer mon nom derrière moi ; je me retournai et vis le directeur de la sécurité qui nous faisait signe à Conklin et à moi.

— J'aimerais revoir votre mandat, nous dit-il.

Conklin le sortit de la poche intérieure de sa veste et le lui tendit. L'homme le parcourut brièvement, puis annonça :

— Le docteur Martin est dans les vestiaires. Suivez-moi.

À notre entrée, Candace Martin était assise sur un banc. Elle portait encore sa blouse tachée de sang et avait le regard fixé sur les casiers alignés le long du mur face à elle. Je lui demandai de se lever et elle me dévisagea comme si elle me voyait pour la première fois. Conklin lui montra le mandat et déclara :

— Vous êtes en état d'arrestation pour le meurtre de votre mari.

Elle semblait avoir perdu toute sa combativité.

116

Yuki et moi étions assises face à Candace Martin et Phil Hoffman. L'avocat était égal à lui-même : réservé et vêtu comme s'il devait participer à une conférence de presse au pied levé. Quant à Candace Martin, on avait l'impression qu'elle revenait tout droit de l'enfer.

De mon côté, je ressentais ce calme qui précède une tempête émotionnelle. J'étais en colère contre moi-même pour la première fois depuis que Phil Hoffman m'avait poussée à m'impliquer dans cette affaire. Je m'étais laissé embobiner, j'avais cru aux mensonges de Candace Martin, et si je voulais éviter de me retrouver à faire la circulation l'année prochaine, je devais à tout prix m'arranger pour renverser la situation.

— C'est fini, docteur Martin, annonça Yuki. Nous avons discuté avec l'avocat de Caitlin et elle est revenue sur son témoignage. Elle a admis qu'elle n'avait pas tué son père. Elle a maintenu qu'il avait eu un comportement incestueux, mais elle dit que c'est vous qui avez tiré. Nous sommes prêts à reprendre le procès, ou bien vous pouvez nous dire ce qui s'est réellement passé.

— Je dois m'entretenir avec ma cliente, intervint Hoffman. Et elle a besoin d'un peu de temps pour rassembler ses esprits. Elle vient de perdre un ami très cher.

Je commençais à sentir la moutarde me monter au nez, le genre de colère qu'on peut contrôler mais qu'on a juste envie de laisser exploser.

— Vous m'avez menti, Phil. Votre cliente m'a menti, et elle a essayé de nous influencer pour nous amener à soupçonner une innocente. Vous voulez que je vous dise ? Je me fous complètement qu'elle vienne de perdre un ami très cher. Cette femme a tué son mari. C'est plié pour elle, et cet entretien représente son dernier espoir de parvenir à un accord.

— Vous ne comprenez pas, lâcha Candace en secouant la tête, le visage tordu par la douleur.

Je restai de marbre.

— Le juge nous a laissé deux mois, fit Yuki en s'adressant à Hoffman. Le délai prend fin dans trois jours. Lundi, nous devrons annoncer au juge LaVan si votre cliente plaide coupable ou si nous poursuivons le procès.

» Les enfants n'y assisteront pas, mais l'avocat de Caitlin sera présent, et si vous laissez entendre que Caitlin a pu tuer son père, le docteur Rosenblatt montrera aux jurés la vidéo dans laquelle Caitlin revient sur son témoignage.

» Vous avez le choix, docteur Martin – nous, ou le jury. Sincèrement, je crois que vous avez tout intérêt à nous choisir.

— C'est à vous de décider, Candace, fit Hoffman.

— Je suis épuisée, Phil, répondit-elle en se mettant à sangloter.

Hoffman hocha la tête et lui tendit un mouchoir en papier. Elle s'essuya les yeux, se moucha, puis déclara :

— Désolée, Phil. Je vous ai menti. Je l'ai fait pour protéger mes enfants. Ils n'ont que moi.

— Nous vous écoutons, lança Yuki.

117

— Vous voulez m'entendre dire que j'ai tiré sur Dennis ? fit Candace Martin. Eh bien oui, je lui ai tiré dessus. Après des années de torture, cet enfoiré m'avait poussée au-delà de mes limites.

— Quelles limites ? demandai-je.

Le docteur Martin avait les yeux rouges et brillants, ses mains tremblaient et sa voix se faisait chevrotante. La chirurgienne calme et posée que j'avais rencontrée au mois d'octobre dans cette même pièce avait laissé place à une femme émotionnellement brisée, prête à dire toute la vérité.

— J'étais dans mon bureau ce soir-là, expliqua-t-elle. Ellen venait de partir, et peu de temps après, j'ai entendu Caitlin pousser un cri étouffé. Je me suis précipitée dans le couloir juste à temps pour voir Dennis sortir de sa chambre.

» Il avait l'air bizarre. Il a sursauté quand il m'a aperçue, et puis il s'est mis à me crier dessus : "Qu'est-ce qui te prend de me faire peur comme ça ?"

» Avant que j'aie eu le temps de répondre, Caitlin est sortie de sa chambre et s'est jetée dans mes bras. Elle était nue. Elle pleurait, et l'intérieur de ses cuisses était mouillé ! Elle n'arrêtait pas de répéter : « Maman, maman, maman ! » C'était horrible, terrifiant ! Il venait de la violer ! Mon mari venait de violer ma petite fille !

Elle marqua un temps de pause, durant lequel ni Yuki ni moi n'osâmes bouger ou prononcer le moindre mot. Puis elle reprit son récit :

— Je l'ai serrée dans mes bras et je lui ai dit que je l'aimais et que je l'aimerais toujours. Je lui ai demandé d'aller prendre une douche et de s'habiller, et puis j'ai couru jusqu'à notre chambre. Dennis était là, en train de ranger des billets dans son portefeuille. Il m'a regardée et il m'a dit : « Ne crois pas ce qu'elle te raconte. Elle passe son temps à mentir. »

» Il a pris ses clés de voiture et il a quitté la chambre. Il m'avait trompée pendant des années, mais chaque fois que je parlais de divorce, il me répondait qu'il partirait avec les enfants et qu'il me ferait passer pour une mère indigne. Je savais qu'il n'hésiterait pas à mettre ses menaces à exécution, même s'il n'était jamais à la maison, même s'il était un père horrible. Je savais qu'il trouverait un moyen de les emmener, dans le seul but de me nuire.

» Il n'avait pas dû m'entendre rentrer, ce soir-là, et il a violé Caitlin alors que j'étais dans la maison. Comment avait-il pu faire ça ?

» Je me suis détestée de n'avoir pas su repérer les signes, mais j'avais encore plus de haine à l'encontre de Dennis. Je ne pouvais pas le laisser s'en tirer comme ça. Je suis retournée dans mon bureau et j'ai pris mon pistolet.

La voix de Candace s'éteignit et elle resta assise sans bouger, la tête entre les mains, les yeux rivés sur la table, silencieuse.

Phil quitta la pièce ; je l'entendis demander un verre d'eau pour sa cliente.

Je me repassai mentalement l'horrible scène que Candace Martin venait de nous décrire. Elle m'apparut avec la même netteté que si j'y avais moi-même assisté.

Si je n'avais aucun doute sur sa véracité, il me restait néanmoins plusieurs questions sans réponses.

118

Phil revint avec une bouteille d'eau qu'il posa sur la table. Candace s'en empara d'une main tremblante, en but la moitié d'une seule traite, puis annonça qu'elle se sentait mieux et reprit son récit d'une trahison au premier degré.

— Dennis s'est dirigé vers la porte d'entrée et je l'ai suivi en lui criant de s'arrêter, en l'insultant, mais il s'est contenté de baisser la tête et il a continué à marcher droit devant lui.

» Je n'avais pas prévu de le tuer. Vous devez me croire quand je vous dis ça. Tout ce que j'avais en tête, c'était qu'il avait violé mon enfant, sa propre fille. Et je voulais qu'il ne recommence jamais.

— Que s'est-il passé ensuite ? demandai-je.

Candace était comme happée par l'évocation de ces souvenirs douloureux. Je répétai ma question.

— J'ai suivi Dennis, et quand je suis passée devant la chambre de Caitlin, elle a couru vers moi et elle m'a agrippée par la taille. Je l'ai réconfortée un peu, et Dennis a continué avec ses sarcasmes. En arrivant dans le hall, il s'est retourné et il m'a répété que Caitlin était une menteuse, une hystérique. Je savais ce qu'il avait fait à ma petite fille. Je le savais parfaitement.

» À ce moment-là, il a vu le pistolet dans ma main, et je me souviens avoir dit : « Reste où tu es. J'appelle la police. » Là, il s'est mis à ricaner, alors j'ai braqué le pistolet vers lui, et pour la première fois depuis notre rencontre, j'ai vu la peur sur son visage – mais ça n'a duré qu'une seconde. J'ai tiré un premier coup de feu, puis un deuxième une fois qu'il était à terre.

» Caitlin se cramponnait à moi en hurlant, en pleurant, et puis Duncan est arrivé. Il a vu son père allongé sur le sol. J'ai emmené Caitlin à l'écart et j'ai envoyé Duncan à l'étage, dans la chambre de Cyndi.

Candace revint soudain au présent et m'adressa directement la parole :

— Tout était devenu clair, sergent. Je devais protéger mes enfants. Qui d'autre que moi aurait pu s'en charger ?

» Après ça, j'ai appelé la police. Quand ils sont arrivés, je leur ai expliqué qu'un intrus avait pénétré dans la maison et qu'il avait tué mon mari. Ils ont détecté les traces de poudre sur mes mains et je leur ai raconté que j'avais ouvert la porte d'entrée et que j'avais tiré plusieurs coups de feu pour l'effrayer et qu'il ne revienne pas. Ils m'ont amenée ici, et la suite, vous la connaissez.

» Je suis désolée que les choses se soient déroulées ainsi, mais sur le moment, j'ai agi de façon purement instinctive. Je ne pouvais pas laisser Dennis continuer à vivre dans le même monde que Caitlin.

119

Yuki et moi demandâmes à Candace de revenir au début de son récit afin de combler certains vides. Ce qu'elle nous révéla faisait froid dans le dos. Elle nous expliqua que Dennis était un coureur de jupons dégénéré doublé d'un malade qui excellait dans l'art de la persécution, mais qu'il jouissait d'une bonne réputation au sein de son entourage. Candace était convaincue qu'en cas de divorce, elle n'aurait jamais obtenu la garde de ses enfants.

— Si j'avais su qu'il faisait subir des abus sexuels à Caitlin, je me serais enfuie avec mes enfants et j'aurais appelé la police. Je ne les aurais jamais laissés assister à la mort de leur père.

Candace fut conduite en cellule, Phil Hoffman repartit chez lui, à Oakland, et Yuki et moi rassemblâmes nos notes et récupérâmes les enregistrements vidéo de l'interrogatoire.

— C'était vraiment éprouvant, fis-je.

— À qui le dis-tu ! Si les jurés avaient entendu ce témoignage, même en la sachant coupable, ils l'auraient peut-être laissée libre pour qu'elle puisse retourner auprès de ses enfants.

— Caitlin avait dit à son psy que Dennis la violait depuis longtemps ?

— Oui. Je n'ai pas vu l'intérêt de préciser à Candace que ça avait duré un bon moment.

— Tu sais déjà ce que tu vas plaider ?

— Franchement, non.

Yuki se hâta d'aller mettre Red Dog au parfum. Quant à moi, je descendis quatre étages pour rendre visite à Jacobi, mon ancien coéquipier et ami de longue date, à présent chef de police.

Il décapsula deux canettes de Coca-Cola.

— Qu'en pense Yuki ? me demanda-t-il une fois que je l'eus informé de l'interrogatoire qui venait d'avoir lieu.

— Elle est en train d'en discuter avec Parisi. Je risque une sanction de la part de Brady, mais je devais absolument m'occuper de cette affaire !

— Tu veux que j'aille lui parler ?

— Ça ne te dérange pas ?

Jacobi hocha la tête et se mit à tambouriner des doigts sur son bureau en me dévisageant d'un drôle d'air.

— Quelque chose te tracasse, Warren ?

— J'ai reçu un message ce matin, m'annonça-t-il. Une mauvaise nouvelle.

— Laquelle ?

— C'est à propos de ton père.

— Mon père ?

— Il est mort au mois d'août. Le bureau des pensions vient seulement d'être prévenu. Je suis désolé, Linds.

— Non ! fis-je en me levant, étonnée de me sentir prise de vertige, mes jambes prêtes à se dérober sous moi.

J'agrippai le dossier de ma chaise pour ne pas m'écrouler. Marty Boxer n'avait jamais vraiment été un père pour moi. Je n'étais même pas certaine qu'il m'ait jamais aimée. Et moi ?

Je relevai la tête. Jacobi s'était levé pour me prendre dans ses bras. Mes larmes trempaient sa veste.

— Je préférais te l'annoncer en personne. Il ne t'a pas fait faux bond le jour de ton mariage, Linds. Il était déjà mort d'une crise cardiaque.

120

La maison de Claire, à Mill Valley, a tout pour plaire, avec ses lambris, son plafond cathédrale, ses poutres apparentes, son carrelage en pierre et sa cheminée gigantesque. Les chambres disposent toutes d'une vue sur les montagnes et le patio donne sur un magnifique jardin arboré.

Edmund Washburn, son gros nounours de mari, avait allumé un barbecue, et Joe, Brady et Conklin jouaient au football sur la pelouse.

Emmitouflées dans des couvertures en laine, Yuki, Cindy, Claire et moi nous reposions sur des chaises longues, tandis que Ruby dormait dans son transat, bercée par la symphonie de Mozart qui s'échappait des enceintes de la chaîne hi-fi.

Yuki observait les hommes, et Brady en particulier.

— Je suis foutue, nous dit-elle au bout d'un moment. Je voulais que vous le sachiez, les filles. J'ai tendance à être souvent dans la lune, mais depuis que je sors avec Jackson, je suis carrément dans le cosmos.

Nous partîmes d'un irrépressible éclat de rire général. Yuki rêvait depuis longtemps de vivre une histoire d'amour, et cela semblait bien parti.

S'apercevant qu'elle le regardait, Brady courut vers nous. Il souleva Yuki de sa chaise longue, la hissa sur son épaule et s'élança vers les deux jeunes arbres qui faisaient office de ligne de but.

Yuki se mit à pousser des petits cris aigus en se débattant, et Brady finit par la reposer. Ils échangèrent un long baiser, puis revinrent vers le patio, bras dessus bras dessous, hilares.

Leur bonheur faisait plaisir à voir – c'en était presque agaçant !

Pour autant, je ne lui en voulais pas le moins du monde. Pris entre Yuki et Jacobi, Brady s'était pour l'instant contenté de m'administrer une petite tape sur la main.

Quelle chance c'était d'avoir des amis comme eux.

Joe m'appela de loin. Il avait la balle. Je me levai et courus vers lui en faisant des signes pour qu'il me l'envoie. À son tour, Cindy repoussa sa couverture pour se joindre à nous, et me demanda de lui faire une passe. Son style était inédit dans l'histoire du football !

Je lui expédiai la balle, un tir en spirale pourtant étonnamment précis, et elle l'attrapa avec un cri de victoire lorsque, surgissant de nulle part, Conklin la plaqua au sol. Je n'avais plus la balle, pourtant Joe me plaqua lui aussi au sol. Nous roulâmes dans l'herbe et je me retrouvai au-dessus de lui.

Nous nous comportions vraiment comme une bande de gamins, mais c'était exactement ce dont nous avions besoin. Rire, oublier nos problèmes l'espace d'une soirée.

Quelques minutes plus tard, près du barbecue, Brady m'entraîna à l'écart et se pencha vers moi pour me murmurer à l'oreille :

— Boxer, je vous mets en service de nuit pour les six prochaines semaines. Pour insubordination.

Cela ne me réjouissait guère, mais que pouvais-je dire ? J'avais enfreint les règles et je le savais.

— OK, lieutenant. Je comprends.

121

Nous mangeâmes comme si ce devait être notre dernier repas.

Une fois englouties les côtelettes accompagnées de la sauce spéciale de Joe, une fois la salade réduite à une fine pellicule d'huile d'olive et les pommes de terre au four à un tas de feuilles de papier aluminium, nous allâmes nous installer au salon.

Claire démoula le gâteau tandis qu'Edmund faisait sauter le bouchon d'une bouteille de Krug, un champagne d'exception qui devait coûter une bonne centaine de dollars.

— Et voici mon fameux cheese-cake au chocolat blanc et à l'orange, fit Claire en posant le plat sur la table. Glaçage de crème sure et garniture de biscuits Graham imbibés de Grand Marnier. Voilà, j'espère que ça vous plaira !

Cette annonce fut suivie d'un tonnerre d'applaudissements, et l'on me demanda de me lever pour venir au côté de mon amie. Dix bougies ornaient le gâteau pour commémorer le dixième anniversaire de notre rencontre.

Je m'en rappelais comme si c'était hier. Elle avait eu lieu lors de ma première semaine au sein de la brigade ; Claire, elle, venait tout juste d'intégrer l'institut médico-légal. Nous avions été appelées dans la prison pour hommes. Un skinhead était mort, cent cinquante kilos de muscles et de tatouages de croix gammées ; coincé sous son lit, menotté, il ne respirait plus.

Le gardien était dans tous ses états. Il avait menotté le détenu et l'avait enfermé dans sa cellule à cause de son comportement violent, et maintenant, l'homme était mort.

— Il ne retrouvait plus les clés des menottes et on n'arrivait pas à retourner le corps.

Claire rigolait pendant que je racontais comment elle avait cassé son objectif en faisant tomber son appareil photo.

— Elle s'est penchée pour le ramasser, et en reculant pour lui laisser de la place, j'ai heurté la cuvette des toilettes et je suis tombée à la renverse. J'ai voulu me rattraper à quelque chose et j'ai fini par agripper l'alambic du détenu, sous l'évier. Je me suis retrouvée complètement aspergée de gnôle.

Le rire d'Edmund se mit à résonner dans la pièce tandis qu'il servait le champagne dans des verres en cristal. Je levai ma flûte mais la reposai aussitôt.

Claire poussait des hennissements, et le rire de Yuki commençait à monter dans les aigus.

— On est retournées à la morgue en puant l'alcool, poursuivit Claire.

— C'était écœurant, ajoutai-je. En tout cas, pour moi, la cause de la mort était évidente. Il n'y avait pas besoin de chercher midi à quatorze heures !

— Pas besoin de chercher midi à quatorze heures ? s'écria Claire. Facile à dire. Moi, j'ai été obligée de me taper l'autopsie pendant que tu rentrais chez toi te changer.

— Il avait fait une overdose ? demanda Brady.

— Oui. En distillant de l'alcool dans des boîtes de conserve en fer-blanc – ce que ce détenu faisait –, on obtient du méthanol. Une quantité infime suffit à provoquer la mort.

— J'en ai les larmes aux yeux, pouffa Cindy en retirant les bougies une à une pour lécher la crème – Conklin l'observa en secouant la tête, l'air amusé.

Yuki sortit les assiettes et les fourchettes, et Edmund me tendit ma filleule encore endormie. Elle était mignonne à croquer.

Claire m'étreignit avec affection :

— Joyeux anniversaire, Linds, me dit-elle.

Une foule d'images me vinrent en tête : les meurtres sur lesquels nous avions enquêté, les nuits que nous avions passées à travailler ensemble, elle et moi. Ç'avait été l'épreuve du feu à chaque fois.

— Et j'espère qu'on passera encore de nombreuses années ensemble, répondis-je.

L'ambiance était encore à la rigolade une heure plus tard, puis vint le moment de prendre congé. Après avoir embrassé tout le monde – même le lieutenant Brady –, Joe et moi regagnâmes San Francisco.

L'ambiance, dans la voiture, était douce et paisible.

— Ça n'a pas été facile de ne rien dire, fis-je à Joe.

— Je sais, Blondie. Mais pour le moment, je préfère qu'on garde ça pour nous.

Mon mari me décocha son sourire ravageur et posa sa main sur ma cuisse.

— Alors ? Six semaines de service de nuit, c'est bien ça ?

— Je le mérite, Joe. J'ai désobéi à ma hiérarchie. Cela dit, je pense avoir fait ce que j'avais à faire.

— Je vais avoir le lit pour moi tout seul pendant quarante-deux nuits d'affilée. Tu parles d'une veine, maintenant que je suis marié !

— On pourra toujours s'envoyer en l'air le matin, quand je rentrerai.

Je me penchai vers Joe et l'embrassai sur la joue tandis que nous prenions le virage pour nous engager dans Lake Street. La force centrifuge, couplée à celle de notre amour, nous colla l'un à l'autre. Je laissai échapper un petit cri de bonheur.

Je n'avais jamais été aussi heureuse.

ÉPILOGUE

GAGNANT / GAGNANT

122

Yuki et Red Dog Parisi s'engagèrent le long du couloir au sol recouvert d'une mosaïque verte qui menait au cabinet du juge LaVan. Yuki se disait que tout pouvait aller de travers, ce qui, d'après son expérience, risquait fort de se produire.

— J'ai changé d'avis, lui dit Red Dog lorsqu'ils arrivèrent devant la porte.

— Pardon ?

— Tu n'as pas besoin de moi, Yuki. Fais ce que tu as à faire, et appelle-moi quand ce sera fini.

— Les rats quittent le navire !

Parisi partit d'un éclat de rire :

— Tu me connais, je suis une vraie mauviette ! Allez, à toi de jouer, maintenant. Je serai dans mon bureau en début d'après-midi.

— Poule mouillée !

Parisi s'éloigna en ricanant et Yuki toqua à la porte.

— Entrez ! cria LaVan.

Phil Hoffman et Candace Martin étaient déjà présents. Assis derrière son bureau, le juge avait revêtu sa robe pour donner un côté formel à leur entretien.

Sharon Shine, la greffière, était installée à sa table. Elle reposa son téléphone, salua Yuki et demanda où était Leonard Parisi.

— Len a eu un rendez-vous de dernière minute à l'extérieur. Je lui ferai un compte rendu plus tard dans la journée, répondit Yuki en tâchant de faire bonne figure, histoire de montrer que l'absence de Parisi n'avait pas beaucoup d'importance.

— Tout le monde est présent, Votre Honneur, dit alors la greffière.

— Allumez votre machine, Sharon. La séance peut commencer. Docteur Martin, savez-vous pourquoi vous êtes ici ?

— Oui, Votre Honneur.

— Vous avez annoncé que vous souhaitiez finalement plaider coupable. Est-ce exact ?

— Oui.

— Monsieur Hoffman, avez-vous une objection à formuler ?

— Non, Votre Honneur.

— Mademoiselle Castellano ?

— Nous attendons les déclarations de l'accusée pour nous prononcer, Votre Honneur.

— Très bien. Docteur Martin, vous dites que vous êtes coupable des charges retenues contre vous, à savoir homicide volontaire sans préméditation sur la personne de votre mari. Est-ce exact ?

— Oui, Votre Honneur. Je l'ai tué, mais mon geste n'était pas prémédité.

— J'aimerais à présent entendre votre témoignage dans son intégralité.

Candace avait l'air d'être sous sédatifs. Elle s'exprimait d'une voix douce mais ferme, même lorsqu'elle relata l'horrible scène qui avait précédé le meurtre. À la fin de son récit, elle se renversa contre le dossier de sa chaise et poussa un long soupir.

— Monsieur Hoffman, avez-vous trouvé un accord avec le bureau du procureur ?

— Oui, Votre Honneur.

— Mademoiselle Castellano ?

Yuki se sentit envahie par un flot d'émotions auxquelles elle n'était pas préparée. Candace Martin avait fait partie de sa vie pendant presque un an et demi. Même en travaillant sur d'autres dossiers, elle avait toujours gardé cette affaire à l'esprit, et de nouvelles informations étaient venues continuellement alimenter le dossier.

Elle avait vécu à travers cette affaire, elle en avait rêvé la nuit, elle l'avait tournée et retournée dans sa tête inlassablement, et lorsque le procès avait volé en éclats, au lieu d'abandonner la partie, elle avait persévéré. À présent, la fin était proche.

— Votre Honneur, au vu des circonstances, à savoir que la fille du docteur Martin venait de subir un viol et que l'accusée a agi pour la protéger de toute nouvelle agression, nous recommandons une peine de dix ans d'emprisonnement.

» En outre, nous considérons qu'il est nécessaire, dans l'intérêt des enfants, qu'ils puissent rendre visite à leur mère aussi souvent que possible, et demandons à ce que les cinq premières années soient effectuées à la prison pour femmes de San Mateo. Il s'agit d'un établissement à sécurité minimale situé à seulement trente kilomètres du domicile familial. De plus, le docteur Martin pourra travailler à l'infirmerie.

» Si elle fait preuve d'un bon comportement, elle pourra, à l'issue de ces cinq années, bénéficier d'une libération conditionnelle.

LaVan pivota un instant sur son fauteuil, pensif, puis déclara :

— Ça me paraît acceptable. J'ordonne qu'il en soit ainsi.

Phil se pencha vers Yuki et les deux échangèrent une poignée de main.

— Merci, Yuki, lui dit-il d'un ton empreint de respect. Et félicitations.

C'est à ce moment-là que Yuki réalisa vraiment qu'elle avait gagné.

123

C'était l'heure du déjeuner, et les embouteillages s'apparentaient à un véritable cauchemar. Claire avait pris le volant car nous étions en retard et qu'elle avait catégoriquement refusé d'être la passagère d'une « cowgirl » au volant. La cowgirl en question, c'était moi.

Ça ne me dérangeait pas de la laisser conduire, pour une fois. J'en profitai pour chercher une station de radio tandis que nous roulions en direction de Sansome Street.

— Si tu avais répondu à mon texto, on aurait pu partir dix minutes plus tôt, ronchonna Claire. J'ai horreur d'être à la bourre.

— Relax ! On sera seulement en retard de quelques minutes.

Un taxi effectua une embardée juste devant nous et s'arrêta au bord du trottoir pour prendre un client. Claire lança un long coup de klaxon, bientôt imitée par d'autres automobilistes – quelques secondes plus tard, elle avait adopté ma conduite façon cowboy.

— Allez, écrase le champignon ! lançai-je d'un ton moqueur.

— C'est bon sur la droite ?

— Vas-y.

Nous quittâmes le pire embouteillage de tous les temps au niveau de Folsom Street, puis nous remontâmes la 3ᵉ, une longue ligne droite qui se prolongeait pour devenir Kearny Street. Quelques minutes plus tard, nous nous garâmes au pied d'un immeuble de bureaux, au cœur du quartier financier.

— Pas mal, fis-je en jetant un coup d'œil à ma montre. On est à l'heure, et tu n'as même pas eu à sortir le gyrophare.

Le vent soufflait fort dans le canyon formé par les buildings. Il nous balaya presque jusqu'à l'entrée de l'immense bâtiment en granit de seize étages qui projetait son ombre au croisement de Sansome et Halleck.

Le bureau de l'avocat était situé au onzième étage, et si l'ascenseur nous y transporta en un temps record, il nous fallut ensuite plusieurs minutes pour trouver la bonne porte. Une jolie secrétaire en jupe fourreau et chemisier à jabot mauve nous conduisit jusqu'à une salle de conférences.

Avis Richardson était assise sur une chaise tout près de la porte. Elle avait beau s'être mise sur son trente et un et arborer un air grave, elle ressemblait encore plus à une adolescente que lors de notre dernière entrevue.

Je la saluai, ainsi que ses parents, et leur présentai Claire, qui avait contourné la table pour aller serrer dans ses bras Toni Burgess et Sandy Wilson, les Devil Girlz que nous avions rencontrées à Taylor Creek.

Rectification : les ex-Devil Girlz.

Elles avaient remisé au placard les blousons de cuir. Toni portait une robe et une coiffure très « maman », et elle nous expliqua qu'elle avait repris son métier d'institutrice. Sandy était belle comme un cœur.

On nous présenta les autres personnes rassemblées autour de la table : les avocats des deux parties, ainsi que le juge Marlon Sykes, venu de Portland et qui était de passage à San Francisco pour la convention de l'ABA.

Tyler Richardson était dans son siège-auto posé sur la table. Il portait une barboteuse bleue ornée d'un canard et avait les yeux grands ouverts. On voyait qu'il n'en perdait pas une miette.

Je lui fis mon plus beau sourire et songeai à quel point cette journée allait être importante dans sa vie.

124

Claire et moi nous installâmes à la table et la séance commença.

Les avocats remirent au juge Sykes tous les papiers nécessaires : le rapport des services de protection de l'enfance, qui émettaient un avis favorable concernant l'adoption de Tyler par Toni et Sandy, le certificat d'annulation du mariage entre Avis Richardson et Jordan Ritter et la révocation des droits parentaux de ce dernier, obtenue en échange d'une remise de peine de quelques années sur les vingt ans qu'il risquait pour détournement de mineure et kidnapping.

Il y avait aussi une révocation des droits parentaux d'Avis Richardson et un document attestant que Toni et Sandy adoptaient officiellement le petit Tyler. Les deux femmes étaient radieuses.

Avis signa les papiers d'adoption sans la moindre hésitation. Toni et Sandy apposèrent leur signature avec une jubilation à peine contenue, puis elles se levèrent pour étreindre chaleureusement Avis. Un peu raide au début, celle-ci ne tarda pas à pleurer à chaudes larmes.

Plusieurs photos furent prises, et l'on nous demanda, à Claire et à moi, de figurer sur le portrait de groupe. Plusieurs personnes nous remercièrent pour notre intervention en faveur de cet heureux dénouement, notamment Avis.

— Désolée de vous avoir menti, sergent, me dit-elle. Je sais que vous avez agi pour le bien de Tyler. C'est une bonne chose que la situation soit régularisée.

Le bébé était maintenant dans les bras de Sandy et gazouillait gaiement. Je tendis la main vers lui ; il attrapa mon doigt et me fixa de ses beaux yeux marron.

Je sentis mon cœur se gonfler de joie.

J'étais heureuse pour ce bébé et la nouvelle vie qui s'offrait à lui.

De retour dans la voiture, Claire envoya un texto à Cindy et à Yuki pour les convier à un dîner du Women's Murder Club, le soir même, au Susie's. Elle n'oublia pas de préciser qu'aucun retard ne serait toléré.

— Au fait, je ne boirai pas, glissai-je d'un ton badin.

Claire posa son téléphone sur ses genoux et me dévisagea avec une petite moue :

— Il était temps que tu craches le morceau ! (Elle se pencha vers moi et me secoua le bras.) Ça se voit comme le nez au milieu de la figure !

Nous explosâmes de rire.

Claire me connaissait comme si elle m'avait faite. Je n'avais même pas besoin de lui apprendre la nouvelle qui allait bouleverser mon existence de façon irrévocable et merveilleuse.

Joe et moi allions avoir un bébé...

Remerciements

Nous tenons à exprimer nos remerciements et notre gratitude à l'avocat new-yorkais Philip R. Hoffman, à Richard J. Conklin, commissaire au sein du Stamford, Connecticut, Police Department, ainsi qu'au docteur Humphrey Germaniuk, médecin légiste dans le comté de Trumbull, Ohio. Merci à eux d'avoir bien voulu nous accorder un peu de leur temps et de nous avoir fait bénéficier de leur précieuse expérience.

Nous remercions également nos excellents collaborateurs : Ingrid Taylar, Ellie Shurtleff, Melissa Pevy et Lynn Colomello. Et un grand merci à Mary Jordan, qui, comme toujours, a supervisé les opérations du haut de sa tour de contrôle.

Ce volume a été composé
par PCA
et achevé d'imprimer en octobre 2012
sur Roto-Page
par l'Imprimerie Floch à Mayenne
pour le compte des Éditions Lattès

JC Lattès s'engage pour
l'environnement en réduisant
l'empreinte carbone de ses livres.
Celle de cet exemplaire est de :
1,050 g éq. CO$_2$
Rendez-vous sur
www.jclattes-durable.fr

PAPIER À BASE DE
FIBRES CERTIFIÉES

N° d'édition : 01 – N° d'impression : 83326
Dépôt légal : novembre 2012

Imprimé en France